闇の精神史

木澤佐登志
Satoshi Kizawa

ハヤカワ新書 014

まえがき

私たちがあの輝くばかりの砂のお城に対する信仰を決定的に失うことで、私たちの目はよりほの暗い明りに慣れ、その薄い明りの中にもうひとつのユートピアを認めることができるようになるかもしれません。

——アーシュラ・K・ル・グィン[1]

二〇二三年八月二七日、日本人一名を含む宇宙飛行士四名を乗せたスペースXの宇宙船クルードラゴンが、国際宇宙ステーション（ＩＳＳ）とのドッキングに成功した。クルーは約半年間滞在し、人類の宇宙飛行によって病原菌が拡散する潜在的リスクを調べるなど、数々の実験が行われる。[2]

二〇一一年にＮＡＳＡのスペースシャトルが引退して以来、ＩＳＳへの宇宙飛行士の輸送はロシアの宇宙船ソユーズが独占していた。二〇二〇年、その状況に終止符を打ったのが、クルードラゴンの登場だった。
スペースXのCEO——そしてX（旧ツイッター）のオーナーでもある——イーロン・マスク当人に言わせれば、これはほんの序の口ということになるだろうか。なにせマスクは、二〇五〇年までに一〇〇万人を火星に移住させることを目標に掲げているのだから。
ウォルター・アイザックソンによる評伝『イーロン・マスク』によれば、マスクは次のように語ったという。「宇宙に出ていく以上に壮大な冒険はちょっと思いつきません。火星に基地を作るのはものすごく難しいでしょうし、おそらくは途中で死ぬ人だって出てしまうでしょう。米国に移民してきた時代と同じように、です。それでも、火星に行くと想像しただけで元気になれますし、いま、世界はそういうことを必要としているのです」[3]
この世界の外側に、まったく別の新しい世界が存在する、という主題に近代以降の人間は遍《あまね》く取り憑かれてきた。それこそ無意識的な強迫観念《オブセッション》のように。一七世紀に登場した、地球から遠く飛翔した天空界への旅物語の一群を、『月世界への旅』の著者M・H・ニコルソンは「宇宙旅行《コズミック・ヴォエッジ》」と呼んだ。同時に、そうした地球外の世界を幻視したトリップ譚は、（当時最先端のテクノロジーであった）望遠鏡を覗き込んだ先、漆黒の闇の向こう側に未知の空間を見出したガリレオに象徴される、同時代に勃興しつつあった新たな科学や人文学と複雑に絡み合いながら相互に規定し合っていることをもニコルソンは指摘してみせていた。[4]

私たちの外側には様々な形で想像＝創造された「宇宙＝空間《スペース》」が存在する。だが、その表象やイメージは時代や制度によって絶えず変遷していく。現実世界の外に位置する空間《スペース》はまた、ギリシア語で「どこにもない場所」を意味する「ユートピア」とも呼ばれてきた。それでも、そうしたユートピアであってさえ、（ハンガリーの社会学者カール・マンハイムが『イデオロギーとユートピア』の中で指摘したように）現実社会における所与のイデオロギーやテクノロジーを少なからず反映したものにならざるをえない。空想の内側だけならまだしも、現実空間にユートピアを実際に打ち立てようとすれば、なおさらであろう。その意味では、あらゆるユートピアの試みは、ほぼ不可避的に現実世界との抜き差しならない相克や葛藤をもたらすといえる。

ところで、アメリカの哲学者ヘルベルト・マルクーゼによれば、ユートピアの理念は「単に旧い諸可能性の継続として想定されたり、同質の歴史的連続の延長線上に考えられたりしてはならず、歴史的連続を断絶せしめること」を意志しなければならない。[5] しかし、ソビエトの崩壊以後、言い換えれば「歴史の終焉」以後の現代、ユートピアへの意志は既にその命脈を絶たれたとされる。いみじくも、マルクーゼは「ユートピアの終焉」を一九六七年の時点で予告してみせていた。

ユートピア的な想像力は、この所与の現実を相対化し、変革するための支点として作用しうる。この閉塞した現実の彼方に措定された非在の未来像が、現実変革の実践のための不可欠の契機となる。ところが、「歴史の終焉」に伴うユートピア的な想像力の退化は、もはや現にあるものの乗り越えを意志せず、規定の現実の単なる惰性的な延長の追認に堕する。結果、歴史を断絶する「未知の未来」はどこまでも貧困化され、予測可能で惰性的に流れていく「過去の延長としての未来」に取って代わられる。[6] 作家のアーシュラ・K・ル・グィンはかつて次のように述べた。「ユートピア的想像力は資本主義や産業主義や人口と同様、ただ成長のみから成り立つ一方通行の未来に閉じ込められてしまっているように思われます」（「カリフォルニアを非ユークリッド的に見れば」[7]）。

もっぱら、いかにして現行の社会を「持続可能」なものにするか、といった観点からしか未来を思い描くことができない現代の闇の中にあって、それでも時間に断絶をもたらすユートピアを、言い換えれば私たちの「既知」の外部に広がる様々な空間＝スペースを構想し切り拓くことは、果たしてどのようにすれば可能になるのだろうか。

たとえば、イーロン・マスクによる宇宙開拓の試み、民間航空宇宙企業のスペースXを立ち上げた背景には、そうした「持続可能」な未来は幻想でしかなく、実のところ「持続可能」ではないのではないか、という問題認識が深く関わっているように見える。マスクは、さほど遠くない未来、人類は存亡の危機に瀕するであろうと主張する。最終的には何らかの「終末的な出来事」（疫病、超巨大火山、小惑星、戦争、技術的特異点の暴走）が地球上で起きるので、人類は別の場所を目指すべきなのだ、と。火星は、その最良の選択肢のひとつにすぎない（この点、資源獲得を主要な目的として宇宙開発を推し進めるジェフ・ベゾスとは対照的といえる）。人類を多惑星種化することで人類の絶滅を防ぐこと、これこそマスクの遠大な「目標」に他ならない。

マスクのSF的ヴィジョンの根幹に「長期主義」（longtermism）と呼ばれる倫理観が潜んでいることを指摘するのは、アメリカの環境学者タイラー・オースティン・ハーパーである。[8] 彼が『デイリー・ビースト』に寄稿した記事によれば、長期主義者は、現在や近い未来よりも遠い未来を道徳的に重要視する。したがって意思決定の際にも、数千年後、あるいは数百万年後に生きるであろう遠い未来の人間を優先させなければならない、と彼らは主張する。

長期主義者らは、人類絶滅のリスクを軽減するという名目で、極端な「解決策」を人々に受け入れさせようとするかもしれない、とハーパーは指摘する。たとえば、一部の長期主義者の主張するところによれば、さほど遠くない未来、テクノロジーの加速度的な進歩によって、ひとりの人間が新型生物兵器などの文明を終わらせるリスクのある終末装置をますます簡単に作れるようになる。長期主義的な観点からすれば、このような事態を防ぐ唯一の方法は集団監視に他ならない。すなわち、地球上のすべての男性、女性、子どもに監視デバイスを身につけることを強制すること。これ以外に、人類の存亡の危機を救う方法はない、というわけだ。その一方で、人類滅亡の危機にまでは至らないにしても深刻なことに変わりない、現在における様々な社会的問題（たとえば貧困や諸々の差別）はいたずらに軽視される可能性がある。

マスクら長期主義者の構想は結局のところ、「持続不可能」な現行の社会を合理主義的なテクノロジーやトップダウンによる監視技術の権力によって無理やり「延命」＝「持続可能」なものにせんとする試みに過ぎないのではないか。とどのつまり、それは程度の差こそあれ、未だに「過去の延長としての未来」に属しているのである。

未来を人質に現代社会における抑圧を正当化するのであれば、それは本末転倒でしかない。未来は他ならぬ現在の私たちのために存在しなければならないのであって、逆ではない。未来のために現在を犠牲に捧げ、過去を忘却していくのではなく、むしろ過去から回帰してきた未来を現在の只中に埋め込まなければならないのではないか。しかし、どのようにして？

前述のル・グィンは、「後ずさりして、向きを変えて、もとに戻る」ことを提唱している。また別の箇所では、「私たちはもう前進することでユートピアに到達することはないと思います。遠回りするかわき道にそれるかが唯一の方法でしょう」とも述べている。[9]

言うまでもないが、ル・グィンは中世や石器時代への回帰を素朴に説くナイーブな反動主義者などではない。もちろん、アルケオフューチャリズム（archeofuturism）のような、過去の伝統や文化を保持しつつ、未来のテクノロジーや社会的な進歩を取り入れようと試みるアプローチとも異なる。結局、それらもまた多かれ少なかれ「過去の延長としての未来」を前提にしているからである。そうした復古的な言辞とは根本から異なることを彼女は語ろうとしているのだ。彼女は言う。ユートピアはこれまでずっと「陽」であった、と。プラトンの太陽の比喩以来、ユートピアは明るく、澄んだ、安定した、行動的で、攻撃的で、直線的で、連続的で、拡張し、前進する、熱いものとして表象されてきた。だからこそ、極度に「陽」である現在の文明にあっては、文明の不正を改善したり、自己破壊を回避しようと想像するには、逆戻りし、「陰」に向かうことが必要であるという。すなわち、私たちは「陰」のユートピアを志向しなければならない。

陰のユートピアとはどんなものでしょうか？　それは暗く、湿っていて、ぼんやりとした、弱く、従順な、受身の、個人参加の、循環性の、周期的な、平和で、愛情こまやかな、退却し、縮小した、冷たいものです。[10]

ほの暗い過去の深淵の中にこそ、時間を切断し見果てぬ未来を到来させる革命的な潜勢力を求めること。もちろん筆者とル・グィンのアプローチはまったく同じというわけではない。しかし、筆者は他ならぬル・グィンから大切な霊感を得たと思っている。

黎明。それは夜の闇と朝の光が微睡《まどろ》むように融け合う薄明の時間であり、眠りと覚醒の狭間の時間である。「覚醒した夢」としてのユートピアは、闇と光が混濁しながら一致する薄明の向こう側から立ち現れるだろう。

本書に収められた試論《エッセイ》は、雑誌『SFマガジン』において二〇二一年から二〇二三年にかけて、およそ二年間にわたって書き継がれてきた連載「さようなら、世界――〈外部〉への遁走論」が元になっている。書名は（図々しくも）「精神史」と銘打っているものの、記述は通史的でもなければ包括的でもない。連載時における筆者の興味関心に従うままに、主題は様々な方向へ散乱&拡散していく様相を呈した。一般的な新書とは明らかに様子が異なる、面妖で胡乱《うろん》な代物ではあるが、あらかじめご容赦願いたい。

読書のための簡単な見取り図を加えておく。第1章では主にロシア宇宙主義――一九世紀末から二〇世紀初頭にかけて帝国ロシアに興った、宇宙と人類の進化をめぐる思想潮流が主題となる。大気中に散らばった遺骸の分子を回収し全祖先を復活させるために宇宙への進出を説くニコライ・フョードロフの思想を瞥見しながら、ロシア宇宙主義がソビエト崩壊後の現代に与えるインパクトと射程の広がり——一方ではロシアによるウクライナ侵攻の思想的背景と目される新ユーラシア主義への、他方では不死やマインドアップローディングを目指すシリコンバレー的なトランスヒューマニズムへの影響——を検討する。第2章ではアフロフューチャリズムを取り上げる。サン・ラーら黒人アーティストが、奪われたルーツを自ら仮構しながら、抑圧的な現実の〈外部〉としての宇宙《スペース》を志向する姿勢に、「過去の延長としての未来」とは異なる別様の未来の可能性を探る。第3章では、情報技術が生んだもうひとつのフロンティア——サイバー空間《スペース》、それとメタバースが主題となる。物理世界の制約からの解放を言祝《ことほ》ぐユートピアとしてサイバースペースは表象されてきた。しかしここでは、サイバースペース／メタバースのユートピアすらも無意識のうちに忘却の彼方に捨て去っていたユートピア的可能性の数々をいかに救い出すかが問われる。そして、「私」の身体を未知の「他」なるものとして、つまりはユートピアとして捉えようとしたフーコーを手がかりに、身体という内宇宙《インナースペース》に辿り着く。終章では再び精神史のジャンクヤードへと立ち戻り、「リフレクティヴ・ノスタルジー」という概念を参照しつつ失われた未来を解き放つ方途を示すことで、本書の締めくくりとしたい。

残念ながら、本書中では紙幅の都合上書き切れなかったことも数多くある。しかしこの小著が、忘却された過去に別様の「生」を生きさせるための、そしてまだ見ぬ未知なる未来を到来させるためのささやかな触媒となることができれば筆者にとってこれ以上幸いなことはない。

目次

第2章　アフロフューチャリズム――故郷《ルーツ》としての宇宙　103

第3章 サイバースペース——もうひとつのフロンティア 161

ロシア宇宙主義

第1章

居住区《コロニー》としての宇宙

1

新しい人間

アレクサンドル・ボグダーノフ

ユートピア的意識とは、まわりの「存在」と一致していない意識である。

——カール・マンハイム『イデオロギーとユートピア』[1]

彗星が閃光をきらめかせながら流れるように、まずユートピア的なヴィジョンをほとばしらせることなしに、私たちの社会的存在が根本的に変化すると想像することは不可能なのである。

——フレドリック・ジェイムソン『未来の考古学 第一部 ユートピアという名の欲望』[2]

喪《うしな》われた〈ユートピア〉

「資本主義の終わりより、世界の終わりを想像するほうがたやすい」と誰かが言った。それを受けて、ある評論家は「資本主義の終わりより世界の終わりを想像するほうがたやすい、なぜなら資本主義とは世界の終わりだからである」[3]と付け加えた。

世界の終わり——後期資本主義というこの「世界の終わり」ではどのような音楽が鳴っているのだろうか。この現実という終末にもっとも相応しい音楽とはどのようなものだろうか。

ショッピングモールの長い長いエスカレーター、それが伸びゆく先に見える「出口」を浴衣姿の少女が見上げている——。オランダのアーティスト、猫 シ Corp.が二〇一八年にリリースしたアルバム『Palm Mall Mars』は、未来における架空のショッピングモール——パーム・モール火星店をテーマに据えたコンセプト・アルバムといえる（ジャケットに付された帯には「銀河間ショッピング体験」という日本語が見える）。猫 シ Corp. の Bandcamp

（音楽配信プラットフォーム）には当アルバムについて、以下のような説明文が記されていた（ただし現在リリースされているリマスター盤では割愛されている）。

　人類は歓声を上げました。人類が初めて月に足を踏み入れてから一〇〇年も経たないうちに、私たちは最初の火星のコロニーを作りました。／そのさらに一〇〇年後、人類はもう一度歓声を上げました。火星の最初のクレーターは見事にテラフォーミングされ、そこに都市が建設されたことで、人類初となる他の惑星への移住の準備が整ったのです。地球議会の議長はこのことを祝うため、二一四九年に火星で最初のショッピングモールをオープンしました――パーム・モール火星店です！／二一九九年の今日、私たちはパーム・モール火星店の五〇周年を祝います。豪華商品の特別割引や、新しく建設されたリングワールドでの盛大な催しでお客様をお迎えし、新しいＡＲＰＥをお試しいただけます！　今ならご来店されたお客様はポールセン・トリートメントを五〇％ディスカウントでお求めいただけます！／パーム・モール火星店でお会いいたしましょう！[4]

『Palm Mall Mars』は、そのＳＦ的なコンセプトからすると拍子抜けするぐらい、ノスタルジックな音像に包まれている。そう、それは八〇年代から九〇年代のモールの店内で流れ

『Palm Mall Mars』

ていたミューザックやイージーリスニング、いわゆるエレベーターミュージックをサンプリングし独自に加工したものだ。こうした八〇〜九〇年代の商業BGMを実験音楽の手法で再構築した音楽ジャンルをヴェイパーウェイヴといい、中でもショッピングモールに特化したサブジャンルはモール・ソフトと呼ばれる。

猫 シ Corp. はそんなモール・ソフトの立役者として知られる。二〇一四年にリリースされた彼の代表作『Palm Mall』では、3DCGで描かれた無機質でのっぺりしたエスカレーターや、ヤシの木とネオンによってリゾート感が演出されたモールのどこか非現実的な空間イメージを強調したジャケットが目を惹く。往年のショッピングモールで流れていたような心地よいエレベーターミュージックからのサンプリングで構成された音像が、私たちをかつて存在していたであろう過去への憧憬と、決して実現することのなかった架空の未来のヴィジョンに引き込む。

そんな『Palm Mall』の正統な続篇が『Palm Mall Mars』であるといえる。ただし、

『Palm Mall Mars』ではコンセプトの軸足が明らかに未来の方へと移っている。パーム・モール火星店、それは未来であるにもかかわらず、しかしどこまでも懐かしい。アメリカに最初のショッピングモールが誕生した五〇年代の、すべてがきらびやかだった消費社会、それはもはやどこにも存在しない。夢と不可分になった喪われた過去は、いまだ訪れる気配のない〈未来〉の火星のユートピアに投影される。未来に対するノスタルジア。私たちは未来を思い出すことはできない。だが代わりに私たちは想像力を手に入れた。猫 シ Corp. が彼の想像力に託してこの作品で描いてみせたのは、今では喪われた〈ユートピア〉という夢である。

ソ連時代の宇宙開発へのノスタルジー

近頃、YouTube などを回遊していると、ソビエトウェイヴなるジャンルの音楽を目にすることが増えた。これはシンセウェイヴと呼ばれる、一九八〇年代の電子音楽やサイバーパンクのイメージをフィーチャーした音楽のサブジャンルで、要はそれのソビエト版ということになる。シンセで奏でられるソ連時代の音楽はやはりどこかノスタルジックであり、また宇宙やロケットなどのイメージが多く用いられるのも特徴である。とあるソビエトウェイヴのコンピレーション動画ではその背景画像に、ソビエト製のロケットが次々と宇宙空間へと打ち上がっていく様を描いた半ば朽ちた壁画を前にして、子どもが玩具のロケットを手にして遊んでいるという絵画が用いられている。ここには明らかにソ連時代の躍進的な宇宙開発に対するノスタルジーと、それと対照的な現代の私たちが抱えるある種のみじめさ、というモチーフが表象されている。〈未来〉が存在していた時代に対するノスタルジー……。

ソ連は一九五七年にライバルのアメリカに先んじて人工衛星スプートニクを打ち上げ、そして一九六一年にはガガーリンを乗せたボストーク一号が人類を初めて宇宙へと送り出した。その時代には、確かに驚異と夢があった。だが、翻って今の私たちが暮らす世界はどうだろうか。人類史を更新する画期的なブレイクスルーや前人未到の大規模プロジェクトが世界から消え去ってすでに久しい。たしかにiPhoneの新型は毎年欠かさず出ている。それはそれでイノベーションのひとつであることには違いないだろう。だが、それすらも私たちをいい加減うんざりさせはじめている、というのが正直なところではないか（少なくとも筆者はそうだ）。

二〇二〇年に逝去した文化人類学者デヴィッド・グレーバーは、著書『官僚制のユートピア』の中で、なぜ二〇一五年にもなって、空飛ぶ自動車が未だに発明されていないのか、という挑発的な問いを立てている。そして次のように付け加える。

そう、むろん、空飛ぶ自動車だけの話ではない。空飛ぶ自動車など、わたしにはどうでもいいのである――なんといっても、わたしは車を運転しないし。ここで念頭においているのは、二〇世紀の中盤から後半に子ども時代をすごした者が、二〇一五年までに端的に存在しているだろうと思い込んでいた、あらゆるテクノロジー的驚異である。わたしたちはみな、あれこれあげつらうことができる。フォースフィールド、テレポーテーション、反重力場、トライコーダー、トラクタービーム、不老不死の薬、人工冬眠、アンドロイド、火星の植民地。どれか実現しただろうか？

もちろん実現していないのである。二〇世紀のSF作家たちが夢想した数々の近未来的ガジェットも、今では記憶のジャンクヤードに打ち捨てられ、もはや顧みられることもない。

手にしたのはたったの一四〇文字

奇しくも、政治的にはグレーバーとはほぼ対極的な位置にいる人物も同様の問題意識を共有していた。その人物とは、ペイパルの共同創業者であり、シリコンバレーの起業家集団ペイパルマフィア（そこには火星に魅入られた男、イーロン・マスクも含まれる）を束ねる投資家のピーター・ティールである。彼は言う。「私たちが手にしたのは空飛ぶ車ではなく、手のひらに収まる小型デバイスと一四〇文字のプラットフォームだった」と。四〇年代のマンハッタン計画、六〇年代終わりのアポロ計画と月面着陸。テクノロジー産業の長足の進歩。ティールが過ごした幼少時代、それは未来に無限の可能性があると信じられていた時代だった。だが、未来はティールが期待していたものとは違った。アメリカ人は火星に行かず、代わりに中東を侵略した。連邦予算は宇宙計画の代わりに軍事力へと振り向けられた。空飛ぶ車の代わりに、現代の私たちが手にしたのはたったの一四〇文字にすぎなかった[6]。

二〇一六年の大統領選挙でドナルド・トランプを支持したティールは、『ニューヨーク・タイムズ』のインタビューの中で次のように述べている。「若い世代はちっぽけな期待しか持てなくなっています。こんなことはアメリカの歴史の中で初めてのことです」。そしてこう続ける。「たとえトランプに懐古趣味や過去へ戻ろうとする側面があったとしても、多くの人々は未来的だった過去へ戻りたいと思っているのではないでしょうか。『宇宙家族ジェットソン』、『スター・トレック』、それらは確かに古い。だけどそこには未来がありました[7]」。

なぜこうなってしまったのだろうか。リバタリアン(自由至上主義者)のティールからすれば、その元凶はイノベーションを抑圧し、野心的なプロジェクトが生まれる土壌を根絶やしにする大量の規制を生み出した諸々の法律や国家の干渉に求められるだろう。市場化の際限のない加速と起業精神を育む競争意欲の促進こそがティール流の解決策となる。

ブルシット・ジョブの肥大化

　だがグレーバーによれば、事態は真逆であるという。市場化の加速は、詩的テクノロジーから官僚制的テクノロジーへの移行しか生み出さなかった。現代の末期的資本主義においては、ブレイクスルーへの可能性を秘めた詩的テクノロジーは抑圧され、代わりに「根本的に保守的な経営者エリート（managerial elite）、すなわち、短期的で競争力ある実利的発想を口実に、革命的な可能性をはらむもののすべてを剥奪する企業官僚の支配を強化[8]」することに終始した。その帰結とでもいうべきものが、「目的と目標」「結果主義」「ミッション・ステートメント」をめぐる新しいタイプのマネージメント型官僚主義のヘゲモニーであり、取り繕うだけの目的のために生産される虚無的なペーパーワーク、誰もが「意味がない」と自覚している非生産的な労働――グレーバーがいみじくも「ブルシット・ジョブ」と名付けたもの――の際限のない肥大化である。それに付随するように、メンタルヘルスの問題も深刻化していく。抜け目のない製薬企業はそこに付け込む。抗うつ剤の氾濫。レクサプロの時代の愛。

　ティールとは逆に、グレーバーは市場化の無批判的な加速は、むしろマネージメント型官僚主義が要請する管理運営の専制を正当化するだろう、と指摘する。管理運営の要請が、テクノロジーの発展の手段ではなく、目的となる。ここにネオリベラル資本主義の逆説がある。したがって、グレーバーが提案する解決策は以下のようになる。

この点で、わたしたちがまったく確信をもっていえることのひとつは、発明と真のイノベーションは、現代の企業資本主義の——あるいはおそらく形態はどうあれ資本主義の——枠内では生じないだろうということだ。火星上のドームの建設に本当に着手するためには、あるいは、そこで接触できる異星人の文明が本当に存在するかを——ないしワームホールになにかを発射したらなにが起こるか——確認する手段を開発することはいうまでもなく、わたしたちは完全に異なった経済システムを案出しなければならないだろう。［……］そうしてはじめて、テクノロジーは、人間の欲求＝必要《ニーズ》に奉仕をはじめるだろう。そして、ヘッジファンド・マネージャーやCEOたちの死せる手［圧力(dead hand)］から解放されるべき最大の理由はこれなのである。わたしたちの空想力をそうした人間たちがわたしたちを閉じ込めてきたスクリーンから解放し、わたしたちの想像力をふたたび人類史における物質的力になるようにしなければならないのだ。[9]

グレーバーの真意は明らかだ。資本主義の外に出ること。資本主義に代わるオルタナティブを模索すること。

オルタナティブなどありえない？

ソ連の崩壊と共産主義の終焉以降、政治学者フランシス・フクヤマは「歴史の終わり」を宣言し、共産主義の最終的破算と新自由主義のグローバルな勝利を確約した。私たちは現在、オルタナティブとなりうるはずだった共産主義という〈未来〉が終わった後の世界を生きている。「歴史の終わり」とは、つまり「時間の蝶番が外れてしまった」時代のことだ。〈未来〉を過去の記憶の層に置き去りにしたまま、ただしそれは奇妙なノスタルジーという形で私たちに回帰してくるのだ。〈未来〉という亡霊。〈未来〉はもはや時間の消失点から到来するのではなく、喪われた存在として、過去から亡霊のように回帰してくる。

未来は過去にしかない、という逆説的な時代において、喪われた未来を取り戻すための試みは過去へと潜航することによってしか達成されないのだろうか。それすらも、単に「反動」との誹《そし》りを受けるだけでしかないのか。所詮、そこも袋小路に過ぎないのか。それとも……。

ネオリベラル資本主義の出口は存在しない。「この道以外にない」（マーガレット・サッチャー）。この現行の体制がありうべき最善の体制であり、オルタナティブなどありえないと私たちに不断に思い込ませようとすること。二〇一七年に逝去した理論家のマーク・フィッシャーは、こうしたネオリベラル資本主義に内蔵された力学を「資本主義リアリズム」と名付けたのであった。

共産主義の終焉以後、もはや「大きな物語」はありえず、〈未来〉は過去の中に凝結し、世界はグローバルな資本の流れが形成する渦巻に飲み込まれる。他方で中国は鄧小平に端を発する改革開放政策のもと、市場経済体制への移行を急ピッチで進め資本主義大国の一員に加わろうとしていた。マーク・フィッシャーがイギリスで大学時代を過ごした九〇年代とは、端的にいってこのような時代であった。

朽ちた〈未来〉の破片をサルベージする

九〇年代、マーク・フィッシャーの師である哲学者ニック・ランドは加速主義を唱えた。その教義によれば、資本主義の〈外〉に出る唯一の方法は、資本主義のプロセスを、それが内破するまで際限なく加速させることであるという。

あえて言うなら、加速主義とは「歴史の終わり」の只中にあって、資本主義とも共産主義とも異なるオルタナティブな〈未来〉を志向するプロジェクトであった。あるいは、それはプロジェクトですらなく、ひとつのオブセッションでしかなかったとも言える。〈外〉を幻視しようとする根源的な衝動、ここことは異なるもうひとつの世界のヴィジョンを打ち立てようとする、そのようなオブセッション。死せる想像力よ、想像せよ——。

するると、次のような反論が想定される。〈外〉などは存在しない。そのような超越的な特異点など、人間の脳内にしか存在しない形而上学的な仮象にすぎない、と。

なるほど、これは確かに一理ありそうだ。この反論に答えるために、やや唐突だが、ここで思弁的実在論の主唱者として知られるフランスの哲学者、カンタン・メイヤスーの著書『亡霊のジレンマ——思弁的唯物論の展開』における「神はまだ存在しない」というテーゼに倣《なら》ってみたい。メイヤスーによれば、神は存在していないが、それは未来において存在しうる。だからこうパラフレーズしてみよう。「〈外〉はまだ存在していないが、未来において存在しうる」。だが、〈未来〉はすでに終わったのではなかったのか。私たちは〈未来〉が死んだ後の世界に住んでいるのではなかったか。であるならば、右のテーゼは次のように修正される必要があるかもしれない。すなわち、「〈外〉はまだ存在していないが、未来として回帰しうる」と。

結局、筆者が精神史のジャンクヤードに赴く理由のひとつがこれである。堆積した歴史と記憶と夢の残骸の中から朽ちた〈未来〉の破片をサルベージし、それに一条の光を当てる作業。そうしながら、〈未来〉が何の前触れもなく私たちのもとにもう一度帰ってくることを退屈しながら待ちわびるのである。つまるところ、本書で行われるのはただそれだけである。

『赤い星』

一九〇八年、火星を舞台にした一冊のユートピア小説がロシアで出版された。題名は『赤い星』。著者はマルクス主義哲学者のアレクサンドル・ボグダーノフ。ロシア革命を主導した党「ボリシェヴィキ」の活動家でもあり、レーニンと並ぶ指導者的なポジションにいたが、やがてレーニンと対立、ボリシェヴィキを離脱する。一九一七年の十月革命の際には、プロレタリア階級独自の文化を建設しようとする運動組織「プロレトクリト」の理論的指導者となっている[10]。

ボグダーノフの知的関心はきわめて多岐にわたり、経済学からマルクスの史的唯物論、哲学、組織論、プロレタリア文化、等々についての各種理論書、そして小説まで手掛けていた。『赤い星』はそんな彼が執筆した二冊のユートピア小説のうちの一冊である。

舞台となる火星には、地球よりもはるかに進んだ文明を築き上げている火星人たちが住んでおり、彼らはすでに集団主義社会（＝共産主義社会）を実現するに至っている。一九〇五年、青年革命家レオニードは火星人の誘いに乗り、宇宙船に乗って火星に降り立つ。レオニ

アレクサンドル・ボグダーノフ

ードは火星を案内されながら、そこで実現されたユートピア社会の観察者となる。

そこでは生産工程の大規模なオートメーション化が行われ、労働時間の大幅な短縮により住人たちは誰でも好きな分だけ働いて自分の必要なものを欲しいだけ受け取るという、共産主義の理想が実現していた。階級間の溝は消滅し、民族や言語、さらには性別的な差異もほとんどなく、人々は互いに「同志的な関係」で結ばれ、相互扶助が原則となっている。端的に言えば、そこは集団主義的な原理と個人的願望が完全に調和《ハーモナイズ》された社会なのだった。[11]

ボグダーノフにとって、『赤い星』は単なるフィクションを書いたものではなかった。それは「予言の書」であり「未来予測の書」でなければならなかった。スラヴ文学者の沼野充義によれば、『赤い星』はロシア革命後の一九一八年に第二版が刊行されてから広範な読者を獲得したという。「絶望的な戦乱と貧困の中で、革命後の社会はユートピア的願望に支えられて初めて、かろうじて前進することができたのである」[12]。『赤い星』は革命後のソビエトの行く先を照らし出すサーチライトであらねばならず、そのためのグランドヴィジョンを虚構という形で打ち出し、未だ到来していない未来を先取ろうとしたのであった。

　事実、ボグダーノフはそれが可能だと信じた。たとえば生産工程のオートメーション化。ボグダーノフは、ドイツの化学者ヴィルヘルム・オストワルドのエネルギー一元論に基づいて、あらゆる物質は同一のエネルギーから成り立っていると考える。彼によれば、現在のテクノロジーでは石炭や石油といった特定の物質からしかエネルギーを抽出することができないが、将来的にはあらゆるものからエネルギーを取り出すことが可能となり、人間が利用できるエネルギーの総量は無限大になるのだという。他方、コミュニケーション技術の急速な発展は、人々の同志的な結合を促進し、集団主義社会の組織化を可能とする。ボグダーノフによれば、このようなオートメーション化の進展により、個人が行っていた様々な専門的な作業は機械が行うようになり、分業と専門性は急速に消滅していく。人間はみな機械の管理という質的に同一の仕事に従事する。組織者と労働者という階級的な差異は解消され、さらには協同の枠組みがコミュニケーションの技術によって無限に広がることで、相互理解と共通の利益によって結ばれた惑星規模の共同体が立ち現れるだろう[13]。

新しい人間

だが、ボグダーノフは階級の消滅や計画経済だけでは満足しない。彼のヴィジョンによれば、個人と集団の対立を消滅させ、個人と集団のあいだに完璧なハーモニーを打ち立てることでしか、近代的個人主義を元凶とする「人間の分裂」を解消させることはできない。こうして彼は集団主義社会の実現のために、一種の「集団的身体」の実現に訴える。そのためにも、精神面だけでなく、肉体的にも進化した、自然を超克する「新しい人間」が要請される[14]。ボグダーノフは明らかにニーチェからの影響を受けた形で、人類はやがて生物としてさらに進化し、自然を完全に人間の意志と労働の統御下におくことが可能になると確信していた（彼は一九〇五年の『新しい世界』という著書のエピグラフに、ニーチェの「人間は超人への架け橋である」という言葉を掲げている[15]）。

ロシア思想を専門とする佐藤正則の優れた著書『ボリシェヴィズムと〈新しい人間〉』によれば、こうした新しい人間、自然力を克服するいわば超人へのあこがれは、決してボグダーノフひとりのものではなく、ボリシェヴィキのあいだに広く存在していたと考えるべきだという。新しい人間のイメージは、建神主義（ルナチャルスキーらが提唱した、人間を神とみなす社会主義的な宗教。集団的な「不死」の獲得を唱えた）やプロレタリア詩の中に顕著に見られる。「ロシアのマルクス主義者たちのあいだに漠然と存在した未来の人間という理念に、ボグダーノフは哲学的な根拠をあたえることに成功したと言えるだろう[16]」。

血液交換の実験

ボグダーノフは、人間の集団的な進化に伴って、ある種の「不死」を獲得できるようになると信じていた。小説『赤い星』の中では、火星人たちはお互いの血液を交換しあうことで、互いの生命を高めるための様々な条件を伝えあっている。「ひとりの人間の血液が、もうひとりの人間の血と混じりあって、そのすべての組織に生命の根本的な更新をもたらしながら、そのもうひとりの体のなかで生きつづけるのです[17]」。

やがて、全人類が文字通りの血縁関係となるだろう。生命を交換しあう同志的関係に基づく、真の集団的社会の完成——。佐藤の指摘によれば、ここで「生命を高めるための様々な条件」と呼ばれているものは明らかに遺伝子のことであり、血液交換とは遺伝子を融合するという点で生殖行為と同じ意味をもっているという[18]。

事実、ボグダーノフは集団的身体を形成する血液交換の理念に狂信的なまでに魅入られていた。彼は晩年、輸血研究所を自ら立ち上げ、そこで血液交換の実験に取り憑かれたように没頭した。一九二八年、ボグダーノフは自らの身体を人体実験に捧げた。自分自身の血液と、結核とマラリアを患っていた女学生の血液とを交換したのである。結果、学生は完全に回復したが、ボグダーノフはこの血液交換が原因で死去した。五四歳だった[19]。

西欧の精神的危機に対する応答

ボグダーノフの無謀とも思えるプロジェクトは、別の側面から見れば、すべて近代を超克するための試みに賭けられていた、とも言える。個人主義、因果的決定論、物心二元論、等々、これら人々の意識を規定しつづけている西欧近代的な思考様式を克服しない限り、「新しい人間」は遂に到来しないだろう。ボグダーノフの目には、こうした西欧近代を支えてきた精神が危機的状況に陥っていると映った。彼からすれば、一九世紀末において西欧に現れた、ニーチェやフロイト、ベルクソン、エルンスト・マッハなど、実証主義、心身二元論、主客二元論、等々とはまったく異なる位相から事象を捉えようとした一群の精神の登場は、まさにそうした西欧の精神的危機に対する応答に他ならない。このうちボグダーノフは、とりわけマッハの一元的な認識論を自身の宇宙観に取り込むことで、機械論的自然観を超克する糸口を見出そうとした[20]。

こうした態度は、ボグダーノフひとりのみに帰されるのでなく、当時のボリシェヴィキに少なからず共有されていた。「新しい人間」の模索という地下水脈は、ここにはない一種のユートピアへの希求として、ロシアの初期コミュニズムに通底していたものとみられる。

佐藤はこの点について、論文「革命と哲学——世紀転換期ロシアにおけるマルクス主義者たちの哲学的模索と論争」の中で次のように分析している。

マルクス主義は、科学を標榜したとはいえ、やはり理想社会を希求する西欧近代ユートピア思想の系譜に位置づけられるが、とりわけロシアでは、現実的な社会的基盤を欠いたため、マルクス主義者たちは理念のみをよりどころとする傾向が強かった。共産主義社会の実現は総体的な世界観に立脚してのみ可能だと考えられるようになり、その結果、ロシアでは、マルクス主義は理想社会実現のための政治的・経済的綱領にとどまらず、西欧近代的世界観を超克した一元論的な新しい世界観とそれを担う新しい人間を探求する理念となった。この点に、ロシア・マルクス主義のユートピア思想としての特質がある。[21]

「不死」「復活」「宇宙進出」の哲学

ボグダーノフの「不死」と「新しい人間」をめぐる実験は、テクノロジーの力で延命や不死の実現を目指すトランスヒューマニストたちの営為に受け継がれていると言えるだろう。だが一方で、ボグダーノフの思想的ルーツのひとつであり、またある面ではボグダーノフよりも巨大なスケールで「不死」の哲学を、そして「復活」と「宇宙進出」の哲学を唱えた一群の思想が一九世紀ロシアに存在していた。それはニコライ・フョードロフに代表されるロシア宇宙主義《コスミスム》と呼ばれる思想潮流である。

ロシア正教に根ざしたスラヴ派のフョードロフの教義は、ソ連時代には抑圧されていたが、ソ連の終焉、言い換えれば〈未来〉の終焉に伴い再び日の目を見るようになった。いま、未来が終わった後の世界である現代において、フョードロフのロシア宇宙主義が奇妙な軌道を描きながらロシアに回帰しつつある。

まずはフョードロフの思想の内実と、その土壌となった一九世紀ヨーロッパの時代状況を見ておこう。

死者の復活

ニコライ・フョードロフ

2

だれもかれもが赤んぼうになり、全人類が、ひとりの例外もなく、生物学的に協力しあいながら、やがて二人の完全な人間アダムとイブをつくりだすのだ。

――カート・ヴォネガット・ジュニア『スローターハウス5』[1]

きっとぼくらはよみがえりますよ。きっとたがいに会って、昔のことを愉快に、楽しく語りあうことでしょうね。

――ドストエフスキー『カラマーゾフの兄弟』[2]

始原生物モネラ

一八五七年、英国海軍の測量船サイクロプス号は北大西洋の深海底から正体不明の軟泥生物を採取した。その一一年後の一八六八年、生物学者のトーマス・ヘンリー・ハクスリーは、サイクロプス号が一一年前に採取した海底生物の標本を再び取り出して顕微鏡で観察した結果、そこに驚くべきものを見出すこととなる(以下に続く記述は主に佐藤恵子『ヘッケルと進化の夢』に拠る)。

ハクスリーは、軟泥生物の中に「無数の透明でゼラチン状の物質」の小さな粒子を発見した、と英国科学振興協会の集会において報告した。彼によれば、この奇妙な粒子こそ、未分化な原形質(プラズマ)でできた生物——すなわち「始原生物」に他ならないという。ハクスリーはこの生物に、大洋の深海底に生息するという意味の「バチビウス」という属名と、ドイツの動物学者であり彼の同志でもあったエルンスト・ヘッケルにちなんで「ヘッケリ」という種名を与えた。すなわち、バチビウス・ヘッケリである。[3]

その頃、放散虫の研究が認められ、二八歳の若さでイェーナ大学の教授に就任したヘッケルもまた、「ダーウィンのブルドッグ」と呼ばれたハクスリーと同様に、敬虔な進化論主義者であった。そのことは、彼のプロジェクトのひとつである生物進化の系統樹の作成にも現れている。系統樹とは、生物同士の現在の関連性を説明するために、過去の共通祖先からどのように生物たちが進化の道を辿ってきたのかを樹の枝の形で可視化したものであり、ヘッケルにとってそれは、一元論的な自然像の確立、すなわち隠されてきた真の世界を解明する壮大な試みに他ならなかった。存在の大いなる連鎖は、神を頂点とするキリスト教的な位階秩序から解放され、人間を頂点に頂く、ダーウィン進化論と生物発生原則が支配するヒエラルキーに取って代わられた。

系統樹を作成する上で、進化の分岐点に位置する生物、たとえば無生物から生物に進化する途上の生物、あるいは単細胞生物から多細胞生物に進化する途上の生物、といったミッシングリンクにあたる生物が何であるかを特定する必要があった。これに対して、ヘッケルは著書『有機体の一般形態学』の中で、有機体と無機物の間には物質レベルの差異は存在せず、それを律する自然法則も同じであること、それゆえに両者の間に断絶ではなく連続した進化を認める一元論的な思想を打ち出した。進化論の観点からすれば、無機物から生物へ移行するミッシングリンクが存在するはずだが、ヘッケルによれば、それは少なくとも細胞ではない。原形質と核から構成された細胞はすでに十分に複雑な有機体であり、よってヘッケルは細胞未満の個体——単なる原形質の塊——を想定し、この想像の始原生物にモネラという名前を与えた。モネラは、最高に個体化した無機物である結晶と、もっとも単純な単細胞生物の間を架構する存在とされた[4]。

こうした状況のなかで深海から出現したバチビウス・ヘッケリは、まさしく無機物と有機体、無生物と生物とを繋ぐミッシングリンク——始原生物モネラ——に違いないと、ハクスリーとヘッケルを浮足立たせた。だがその後の研究と調査の結果、ゼラチン状の塊は、海水中の硫酸石灰がアルコールと反応して沈殿した堆積物にすぎなかったことが明らかになった。つまり、バチビウス・ヘッケリは始原生物でも何でもなかったのだ[5]。

電信網の敷設

生命の原初の母たる深遠な海に対する科学的知識を、一九世紀半ばまで私たちがほとんど持ち合わせていなかったことは驚くべきことに思える。ヨーロッパでは大航海時代を境にして深海を科学的に知ろうとする関心の胎動が見られた。当初は麻縄を船から降ろして深海の深さを測ろうとしていたが、博物学者たちが深海の調査に着手する一八世紀後半には、当時発明されたばかりの金属製の開口部のついたネット（ドレッジ）を船から降ろして海底を曳《ひ》いて物質を採取することが可能となった。だが、イギリスのサイクロプス号やチャレンジャー号による本格的な海洋調査が始まるのは、ハイテクを備えた特殊な船舶や莫大な資金の投下が可能となった一九世紀の半ば以降のことであり、当時の海洋学や海洋生物学の発展とも当然リンクしていた。[6]

ところで、大型船を用いる深海底の大規模な調査を促したのは、実は海洋学や生物学にまつわる関心だけではない。そもそも、英軍測量船サイクロプス号は何故そのとき北大西洋の海底を測量していたのだろうか。実はその当時、アイルランドとニューファンドランド島とを結ぶ電気的なテレグラフの回線を大西洋の海底に敷設しようという壮大な計画が進められていた。のちの北大西洋横断海底ケーブルである。この大西洋を横断する長大な海底ケーブルの敷設作業のために、事前の綿密な海底調査が必要とされた。海底から謎の軟泥堆積物を偶然採取したとき、測量船サイクロプス号はまさにその海底調査に従事していたところだったのだ。[7]

ここで時を一〇年ほど遡らせてみよう。一八四四年五月一日、ボルチモアでホイッグ党の全国大会が開かれた際、サミュエル・モールスは自身が発明した電信（テレグラフ）の有用性を証明するために、大会で選出された候補の名前を即座にワシントンに伝送するというデモンストレーションを行ってみせた。かくしてモールスの電信は認められ、ワシントンからボルチモアの線は同年五月二四日に開通した。開通式において、モールスはワシントンの最高裁判所からボルチモアへ向けて「神の成したもう御業（"What hath God wrought"）」というメッセージを送信したという。[8]

電信網はその後、爆発的に成長した。トム・スタンデージ『ヴィクトリア朝時代のインターネット』によれば、一八四六年当初にはワシントンとボルチモア間四〇マイルを結ぶ、モールスの実験用の線しか稼働していなかったが、二年後には約二〇〇〇マイルの線が新たに引かれた。さらに一八五〇年までには二〇の企業によって運営される一万二〇〇〇マイル以上の線がアメリカ大陸に引かれ、それぞれがクモの巣状のネットワークを形成するに至ったのだった。[9] 世界各国の諸都市は電気式テレグラフによるコミュニケーションの回路で覆われた。株を売買する銀行家や商人、取引人たちは、独自の暗号表を用いて諜報を防ごうとした。彼らはたとえばロンドンの株価を暗号化して送信して、それをエジンバラで復号した。人目を避ける恋人たちもまた、暗号で秘密のメッセージを交換し合った（暗号を作る者たちがいれば、当然それを破る者たちもいる。たとえば、そうした暗号破りに秀でた人物のひとりにチャールズ・バベッジがいた。言うまでもなく、階差機関《ディファレンス・エンジン》を考案し、ウィリアム・ギブスンとブルース・スターリングというサイバーパンクの二大巨頭に霊感を与えた、あのバベッジである）。[10] 二〇世紀後半に二人の暗号学者、ホイットフィールド・ディフィーとマーテイン・ヘルマンが素因数分解のロジックを応用して公開鍵暗号方式のプロトタイプを提示する一〇〇年以上も過去の話である。

最初の大西洋横断ケーブルの敷設作業は一八五七年八月に行われた。一マイルあたりの重さが一トン、計二五〇〇トンものケーブルを運べる船はなかったので、その半分をアメリカ海軍の蒸気フリゲート艦ＵＳＳナイアガラ号が積み、あとの半分をイギリスのＨＭＳアガメムノン号が積んだ。幾度かの失敗の末、大西洋の海底に二五〇〇マイルのケーブルが敷かれ、ナイアガラ号はニューファンドランドに、アガメムノン号はヴァレンティア島にそれぞれ到着した。こうして一八五八年八月、初めてヨーロッパと北米が電気パルスを伝えるケーブルによって結ばれることになった。[11]

大陸と海底に張り巡らされた電気パルスのネットワークは、空間の距離と時間差を擬似的にゼロに近づける。グローバルな電流ベルトのレイヤーによる疑似同期が、「単一の人類」という表象を生み出すことを助ける。とはいえ、マーシャル・マクルーハンが地球村《グローバル・ヴィレッジ》のヴィジョンを打ち立て、インターネットの前身となるＡＲＰＡＮＥＴがカリフォルニア大学ロサンゼルス校（ＵＣＬＡ）とスタンフォード研究所のコンピュータを相互接続させるに至るのは、まだはるか先のことではあるが。

進化、ネットワーク、宇宙

さながら、一九世紀後半を境に二つの主題系が突如として西欧に現れたかのようである。ひとつは「進化」（ダーウィンの『種の起源』は一八五九年に出版されている）、もうひとつは「ネットワーク」（イギリスで近代郵便制度が確立されたのは一八四〇年である）。そして、測量船サイクロプス号が大西洋の深海から採取した軟泥生物こそは、いわばその二つの主題を結びつけるミッシングリンクに他ならなかったのではないか。

進化論とグローバルなネットワーク観が交叉するところに、まったく新しいタイプのヴィジョンが現れてくる。ピエール・テイヤール・ド・シャルダンの「精神圏《ヌースフィア》」、ウラジーミル・ソロヴィヨフの「世界魂」と「神人」、（トーマス・ヘンリー・ハクスリーの孫でもある）ジュリアン・ハクスリーの「トランスヒューマニズム」、ボリシェヴィキにおける建神主義、等々……。

私たちは先ほど、ボグダーノフの特異な宇宙観を検討した。ところで、ボグダーノフは一九一三年から一九二二年にかけて、自身の哲学、自然科学、文化論にわたる思考の集大成といえる著書『テクトロギア――普遍的な組織化の科学』全三巻を刊行しているが、通常「組織形態学」と訳される「テクトロギア」という用語は、実はヘッケルから借用されている。ヘッケルは生物の構造や組織の法則に関してこの言葉を用いていた。ボグダーノフはそれを生物ばかりではなく、あらゆる現象――自然、生物、人間、社会、思考、等々――に適用し、全宇宙を普遍的な組織化という視点から捉えようとした[12]。ヘッケルの一元論は、ボグダーノフの、物質的なものと精神的なものの区別を排除する一元的な全体論《ホーリズム》に受け継がれている。

一九世紀後半はまた、宇宙に対する科学的関心も高まっていた時代であった（フラウンホーファー線の正体の判明に伴い天体物理学が勃興したのは『種の起源』の出版と同年の一八五九年のことである）[13]。わけても火星は、この時代にすでに国際的な論争を呼ぶほどの対象になっていた。入江哲朗『火星の旅人』の記述に従えば、この論争は、ミラノのブレラ天文台の台長を務めるジョヴァンニ・ヴィルジニオ・スキアパレッリが一八七八年に発表した論文に端を発する。その中に添えられた火星のドローイング地図に、広範囲にわたるカナリ（運河）のネットワークが描き込まれていたのだ。見る者の想像力を刺激するこの地図は世界的に話題を呼ぶこととなった。たとえば、『棲まわれる世界の複数性』という、「地球以外にも生命の棲息する世界は存在する」という思想を打ち出した著作によってのちのジュール・ヴェルヌ――『海底二万里』や『月世界旅行』を著した、H・G・ウェルズと並び称される「SFの父」――にも影響を与えた天文学者カミーユ・フラマリオンは、スキアパレッリの火星観測の結果から大いに刺激を受けた。彼は一八九二年に『火星とその棲息可能性の条件』という浩瀚《こうかん》な書物を上梓し、その中で火星の運河はその地の棲息者が古い河川を改修して作った人工物である可能性を指摘している[14]。

進化、ネットワーク、そして宇宙。一九世紀後半を境にしてプレゼンスを高めてきたこれら三つの主題が交叉するところに、これから紹介するロシア宇宙主義を置くことができるように思える。もちろん、ロシア宇宙主義をロシア特有のコンテクスト——ロシア正教とメシアニズム、ユーラシア主義、ソボールノスチ、等々——から離れて語ることはできない。だが、ロシア宇宙主義に数えられる思想家たちが、西欧における「同時代性」からまったく無縁でいながら自身の思想を紡ぐことが果たしてできただろうか。あらかじめ論旨を先取りして言えば、彼らは常に西欧に目を向けながら、だが同時に西欧＝近代を超克することにこそ、自らの思想の賭金を置いたのである。

モスクワのソクラテス

ニコライ・フョードロヴィチ・フョードロフは、一八二九年六月にロシアはタンボフ県のクリューチ村で生まれた。フョードロフは生前、自分の生い立ちについて語ることを極力避けており、鬼籍に入ってからようやく彼の周囲の人々の口を通して彼の出生にまつわる秘密が明らかになった。彼の父親は、アレクサンドル一世時代の有名な重臣の息子であったパーヴェル・ガガーリン公爵。それに対して、母親はおよそ人々に知られず、回想でもまったく触れられてこなかった。スヴェトラーナ・セミョーノヴァによる伝記『フョードロフ伝』によれば、フョードロフの母親の名前が知られるようになったのは比較的最近のことであるという。彼女の名前はエリザヴェータ・イヴァーノヴァ。屋敷で働いていた貴族出の娘であり、ニコライは私生児として生まれた。非正嫡の子として生まれたという事実は、幼きフョードロフに「出生にまつわる羞恥」を、そして周囲から伝え聞かされた戦争やロシアにおける飢餓は、フョードロフに飢えと死という観念を、言い換えれば「人間は死すべき運命にあるという感覚」を刻み込んだ。セミョーノヴァによれば、これらの病的に研ぎ澄まされた強迫観念《オブセッション》こそが、彼の特異な哲学の土台を形成することになる[15]。

ニコライ・フョードロフ（画家レオニード・パステルナークによる）

一八五一年秋、深く敬愛していた叔父の死がフョードロフにひとつの天啓を下した。フョードロフは書く。「もしも息子と父親のあいだに愛が存在するなら、経験は復活という条件においてのみ可能となる。父親なしで息子は生きられない。ゆえに、息子たちは父親の復活のために生きなければならない。ここにこそ一切の意味がある[16]」

フョードロフは、近親者（父祖）の死を、自分たちに命を与えた前の世代を、自分たちの世代が排斥することで起こる交代として捉えていた。「血縁」と「人はみな死ぬ」という観念は、叔父の死という決定的な出来事によってひとつに結合し、ついに独創的な啓示、すなわち「私たち、すなわち理性的存在を通して自然が完全な自意識と自己支配を獲得するという考え」「破壊された、あるいは現在も破壊されつつある一切を再建し、それによって神の意思を果たし、神の、創造主の似姿となるという考え」をフョードロフに与えることになる。一八五一年秋から、地方の学校で歴史と地理の教師になる一八五四年二月まで、言い換えれば彼にとっての二二歳から二四歳までの約二年半の間、フョードロフはどこにも勤めず、一切の足跡を残していない。だがこの時期は彼にとってもっとも重要な時代であり、いわば自らの思想と理念を発見する自己確立の時代であったといえる。[17]

フョードロフの理念の中心には常に復活の宗教、すなわちキリスト教——ロシア正教——があった。人類は、父祖の神の意志、全員の救済を望む神の意志の、意識的にして能動的な武器とならねばならない。すべての人間が積極的に贖罪の事業＝労働に参加することではじめて、罪は浄化され普遍的救済が完遂されるだろう。フョードロフの理念の中心に位置するのはこうした黙示録的ヴィジョンである。とりわけ彼を魅了したのは福音書の言葉たちであった。フョードロフは、「私が創る事業をあなたがたも創りなさい。それよりも大きく創りなさい」（ヨハネ福音書一四：一二）というイエスの言葉に忠実であろうとした。すなわち、自然の諸力の支配（キリストは嵐を鎮め、水の上を歩いた）、病める者たちの治癒、そして死者の復活である。「わが父なる神はこれまで行い、そしてわれも行う」。フョードロフはキリストの言葉の中に、神の似姿として創造された人間も、神の能動的な創造事業《プロジェクト》に参画することが可能である、いや可能であるどころか、それこそが人間に与えられた使命に他ならない、という確信を見て取ったのである。そして、そのためにも、全人類の兄弟的団結（「皆ひとつとなるように」）——すべての民がキリストの弟子となること——が必要不可欠となるのだ[18]。

フョードロフは教師の仕事を一四年間続けた後、一八六九年にモスクワのチェルトコフ図書館の司書見習いとなる（この時代、やがてロシアにおける宇宙ロケットの生みの親となるコンスタンチン・ツィオルコフスキーは、チェルトコフ図書館でフョードロフとの運命的な出会いを果たしている）。一八七四年にはルミャンツェフ博物館に移り、そこで司書の仕事に就いている。フョードロフの驚異的な記憶力と博識（彼は図書館のすべての本の内容を覚えていたといわれる）は同僚や利用者たちの間でほとんど伝説となり、そのことが「モスクワのソクラテス」という異名を彼に授けることになった。博物館が閉館になる午後の三時以降や日曜日ごとに、目録室はフョードロフを中心とする談話クラブと化し、当時のモスクワの著名人が集まった。実際、フョードロフは自身の思想体系を晩年になるまで書き記すことをほとんどせず（書いたとしても匿名かペンネームを用いた）、それはもっぱら口伝によって広まったのである。[19]

フョードロフは私生活では生涯禁欲を貫いたといわれる。食事はパンとお茶だけで済ませ、一日に三、四時間しか眠らなかった。一年中同じ古ぼけたコートを着て、給料はすべて困った人々に与えた。[20]

一八九八年、フョードロフは博物館を辞職した。すでに六九歳になっていた。職を退いたフョードロフは昔通り、主にモスクワに住み、そこで残された、もはや先送りできない最後の仕事、すなわち彼の「共同事業」の教義を文字でまとめ上げる作業に取り掛かった。フョードロフの主要な著作のほとんどは、彼の生涯における最後の数年間に集中的に書かれたものである。『共同事業の哲学』第一巻は、フョードロフの死後、一九〇六年に彼の弟子たちの尽力によって出版されることになる。[21]

進化の途上としての人間

誕生によってこの世界に生まれ出たものは、同時に皆等しく死を運命づけられている。フョードロフは、「誕生」という自然における肯定的なプロセスの背後に隠された、子どもたちによる祖先の排斥や緩慢な殺人行為を告発する。「誕生」に対して常に先立って存在する、性にまつわる淘汰、闘争、相互撲滅。だが、自然における生成と消滅の絶えざるプロセスの中にあって、人間は「自意識」、すなわち「個我」を持った唯一の種であるという点で、自然の調和《ハーモニー》から逸脱した特異な存在としてある。人間の意識はエントロピーの法則に抵抗しているように見える。それは散逸と崩壊ではなく、秩序と組織化を目指そうとする。同様に、セミョーノヴァも指摘するように、フョードロフの教義全体も、「落下、終末、エントロピーの法則に対する最大限の侵害の企て」として捉えることができる。フョードロフは二つの唯物論を区別する。ひとつは物質の蒙昧な力に屈するものであり、もうひとつは物質を統御する唯物主義である。フョードロフは後者の立場を取り、それを「倫理的唯物主義」と呼んだ[22]。

フョードロフは、人間を宇宙における特権的な存在とみなす一方で、現存の人間を根本的に不完全な存在、野獣的動物的欲求と本能にいまだ囚われている側面を持った、矛盾と欠陥を孕《はら》んだ存在とみなしていた。したがって、神から与えられたプロジェクト＝共同事業を成し遂げるには、人間はより高い存在、すなわち最高の変容を遂げた神人的統一体にならなければならない、フョードロフはそう説いた。同時に、そのような存在になるには、精神的改善のみならず、人間の肉体的本性そのものの変容＝改造、言い換えれば自然的・動物的本性

——食欲、色欲、闘争本能、等々——から解放された、より高い存在論的状態の獲得が必要不可欠となる、フョードロフはそのように確信した[23]。

セミョーノヴァも指摘するように、こうした信念は、生物における進化の一方向的プロセスの感覚に裏付けられているという点で、フョードロフの思想は同時代における進化論の隆盛とパラレルな関係にある。現存の人間はそれ自体で完成形であるのではなく、進化プロセスの途上における一到達点にすぎない。人間は、未来に向けて無限上昇していく大いなる連鎖のいまだ中間地帯にいる、云々[24]。こうした確信は、のちの世代のウラジーミル・ヴェルナツキーやテイヤール・ド・シャルダンらによる「精神圏《ヌースフィア》」の概念に受け継がれ、さらに言えば現代におけるトランスヒューマニストたちの思考をも深いレベルで規定している。

フョードロフにとって、自然統御は進化の根本的に新しい段階をしるしづけている。進化のプロセスのコントロール、人間の身体と宇宙的プロセスを含めた自然全体の改造。フョードロフの考えでは、テクノロジーの発達はあくまで副次的なものであり、本当に必要とされるのは、人間が自身の器官そのものを「改良」、発達させることである。「魂の翼は肉体の翼となるであろう」（『共同事業の哲学』[25]）。未来の来たるべき人間は、自らが飛行能力や遠視能力を身につけるのだ（フョードロフは植物の栄養メカニズムの研究こそが急務であると説いている。植物の栄養形態にならって人体の構造を作り変えること。独立栄養生物としての超‐人間）。そして、これら「全自然のなかでの実験」、能動的な自然統御＝変革プロジェクトの頂点こそが他ならぬ死の克服と死者の復活である。[26]

死者復活のプロジェクト

　ここに至って、科学的な能動進化の思弁とキリスト教の福音とが一致する。フョードロフの確信するところによれば、神の意志、すなわち「世界に原初の不死の状態を回復する」という意志は、他でもない人間の理性を通して、それも統一された全人類の集団《ソボールノスチ》的な総体を通してこそ実現される。フョードロフにとって死者の復活は、新たな世代の誕生のために生命の舞台から排斥された先祖たちの亡霊に対して私たちが負っている道徳的義務ですらある。先祖たちに生命を返すこと。先祖という亡霊が未来から回帰する。

　他方、この復活の大事業を完遂するためにも、生殖＝人間の再生産のために費やされている余剰のエネルギーを、創造と再生の方向へと転化させなければならない、とフョードロフは主張する。[27]反出生主義、あるいは逆向きの出生主義？　全人類が一致して、生殖のプロセスに逆らいながら、系譜の連鎖を逆向きに辿ってやがて二人の完全な人間、アダムとイヴを作り出す＝再創造すること……。

　復活の事業とその方法。まず第一に、死者たちの遺骸の分散し飛散してしまった諸々の破片を寄せ集め、「外界のあらゆる分子や原子の認識、統御」に基づいて、それらを元通りに復元していく。フョードロフにとっては、腐敗も粒子状に拡散して消滅した肉体も、復活のための妨げにはならない。大気の中に分散してしまった分子状の粒子を集めるために、事業は宇宙全体にまで広がるだろう[28]。フョードロフにとって、世界は、また宇宙は、祖先たちの痕跡が宙に遍在して舞う亡霊空間に他ならない。

　言うまでもなく、私たちの身体細胞は、そのひとつひとつにユニークな遺伝の痕跡――全身の有機体に関するあらゆる遺伝情報――が刻印されている。フョードロフの実践的教義は、ひとつの細胞から遺伝的コピーを創り出すという現代におけるクローニングの考えを部分的に先取りしているともいえる。フョードロフのヴィジョンにおいては、文字通り子が、あたかも「自分のなかから」生み出すように、父を復活させ、さらにその父が父を復活させていき、ついには原初の人間――アダムにまで至る[29]。

　先祖の復活による人口の急激な増加。それに伴う地球資源の枯渇。太陽の消滅、等々。フョードロフにとって、人類が広大無辺の宇宙というフロンティアに進出するのは必然であり運命でもある。避けがたい終末から逃れるために、宇宙空間を新しい人類の居住区《コロニー》=養殖場とし、太陽系を手始めにやがては宇宙のさらに奥深くへと、すべての空間を人間の統御下に置くためにに進出していくことだろう。そして、ここに至って、ユーラシアの大地と天上の空間＝宇宙とが垂直方向に結びつく。フョードロフは書く。「わが国の広大な空間は、偉業のための新しい舞台となる天上の空間へつながる通路なのだ」（『共同事業の哲学』[30]）。

3

実体化する「精神圏」

現代ロシアにおける展開①

SFのもっとも深遠な使命とは、未来を想像する能力を私たちがうしなっていることを、なんどもなんども実証し、劇化することであり、いっけん充溢しているように見えるがより精密に調べれば構造的・本質的にやせ細ってしまっている表象をつうじて、マルクーゼが《ユートピア的想像力》と呼んだもの、つまり他者性と根本的な差異を想像する力が、私たちの時代には枯渇していることをまざまざと示すことであり、つまりそれは、失敗によって成功すること、そして次のような方向に思考を運んでくれる乗り物としてはたらくことだ。すなわち、未知のものにむけて出発したのに、気づけばどうしようもなく見なれたもののなかにどっぷりと浸かってしまってあともどりもできず、それによって驚くべきことに私たち自身の絶対的限界に関する反省へと変容するような方向に、知らず知らずのうちに、さらには不承不承に私たちをみちびくのだ。

——フレドリック・ジェイムソン『未来の考古学 第二部 思想の達しうる限り』[1]

ロシア宇宙主義の回帰

すべてのユートピアは、人間の死すべき運命という最も深い不幸につまずきます。死すべき人間は幸せになることができません。これが共産主義《コミュニズム》が成功しなかった理由です。［……］共産主義は普遍的な幸福を築こうとしたけれど失敗しました。なぜなら、死すべき運命にある人間、言い換えれば矛盾に絡め取られた存在は、決して調和《ハーモニー》に至ることができないからです。[2]

二〇一二年の秋、モスクワの中心地、ボリショイ劇場の真向かいにある革命広場のカール・マルクス記念碑の前に集まった数十人の人々を前にして、演説者のアナスタシア・ガチェバはそう主張した。彼女は、二一世紀のフョードロフ運動《ムーヴメント》における著名なメンバーのひとりである。

ソ連時代の長きにわたる抑圧によって忘却されたかに見えたロシア宇宙主義《コスミスム》は、一九九一年のソ連崩壊に伴い、同じく抑圧されていたロシア正教とともにユーラシアの広大なステップに亡霊のように回帰した。もっとも、ロシア宇宙主義の回帰はすでに前もって予示されていたとも言えるのだが。

ソ連崩壊前夜、すでに共産主義は自らの政体を正当化し、国民を動員できる機能を失いつつあった。そこで、共産党の上層部は、党のイデオロギーを改めて見直すことを通じて、共産主義を補完する、あるいは代替するイデオロギーを新たに創り出す必要に迫られた。かくして一九八七年、共産党のユーリ・プロコフィエフによって、この試みが最初に実行に移された。チャールズ・クローヴァー『ユーラシアニズム』によれば、プロコフィエフは「実験的創造センター」なる組織を創設し、そのセンターの所長に科学者で劇場プロデューサーのセルゲイ・クルギニャンを据えた。クルギニャンはコンピュータと数百名のエンジニアを雇った。一方、センターの計画は、のちのソ連八月クーデターの首謀者のひとりとなるヴァレンチン・パヴロフによって唱導されることとなる[3]。『ペレストロイカ以後』と題された九三ページからなるセンターの文書には、ゴルバチョフの改革がもたらした激変期を乗り越えるための新たなソビエト的イデオロギーの創出、すなわちリベラル改革を否定し、共産主義の正統性の復権を確かなものとするためには、唯物論的な共産主義とロシア正教の融合、言い換えれば「赤い宗教」に根ざした「宇宙、哲学、宗教、社会全体を網羅した思想」の確立が不可欠であることが説かれていた。そこで亡霊のように一九世紀の記憶の廃墟から浮上してくるのが、ロシア宇宙主義に他ならないのであった。クルギニャンは、『ペレストロイカ以後』の中で、フョードロフの理解者でもあった、「神人」概念で知られるウラジーミル・ソロヴィヨフの神秘主義神学に言及し、また別の箇所では、独自の宇宙進化論を唱えた生物学者にして地質学者でもあるウラジーミル・ヴェルナツキーにも言及している。[4] ヴェルナツキーは、地球環境下での化学的・物理的な諸過程だけでなく、生物が関与する過程に着目し、生命物質と非生命物質の地球規模《グローバル》の相互作用に注目する「生物地球化学」を構想した。一九二二年から始まるパリへの長期滞在（彼の同僚からは亡命と見られていた）の折には、地質学者・古生物学者で思想家のピエール・テイヤール・ド・シャルダンや、数学者で哲学者のエドゥアール・ル・ロワと出会い、そこでの交流を通じて、地球進化の次の段階を示す「精神圏《ヌースフィア》」のアイディアを得たといわれる。[5]
『ペレストロイカ以後』の中ではロシア宇宙主義の大家フョードロフの名前は挙げられていないが、クルギニャンはフョードロフ思想におけるキータームである「共同事業」という言葉を大文字で四回使用している。後になって、『ペレストロイカ以後』の計画にとってフョードロフこそがインスピレーションの源泉になったことを認める発言をクルギニャンはしている。彼にとって、フョードロフという存在は、一九世紀に根を下ろしたより広く深いロシア的な形而上学の時代への回帰を象徴していた。今こそロシアの伝統が呼び起こされなければならず、それをまさしく担うのがフョードロフであるとされたのだ。だが結局、クルギニャンの計画は、一部の統治エリート層の想像力に訴えはしたが、その彼らが権力を掌握しそこねた結果、挫折した[6]。

二〇一〇年、クルギニャンはロシアの5TVで放映される番組「時の法廷」（The Court of Time）のコメンテーターとして突如浮上した。この番組は、歴史上の出来事や人物について、聴聞会の形式で議論する討論番組で、インターネットを介して視聴者が投票できるシステムが人気を博した。一年間の放映を終えると、クルギニャンは「時の本質」（The Essence of Time）と題した自身のウェブ番組を開始。ソ連崩壊の原因、ロシアの政治的・社会経済的・文化的発展の見通し、世界の政治状況などを、クルギニャンが講義形式で概説するという内容だった。そして、このウェブ番組をベースにして創設されたのが、「時の本質」なる共同体であり運動体である。「時の本質」のイデオロギーを一言でまとめれば、共産主義とロシア・ナショナリズムの奇怪なアマルガムである。クルギニャンは、ソビエト連邦の解体はロシアにおける精神史的悲劇であり、その後のロシアにもたらされた資本主義は何も築かず、それどころかすべてを破壊し尽くした、と主張する。彼は、カール・マルクスやアントニオ・グラムシ、さらにはアレクサンドル・ボグダーノフなどの思想を取り込みながら、新たな人間性と、ポストモダンと混同されることのない超‐近代（uber-modernity）の確立、そして、ロシアの経験とユーラシアの大地に根ざした、より偉大で有能なソビエト連邦《USSR》のメシア的復活（このプロジェクトは「USSR 2.0」と呼ばれている）こそが喫緊の課題であると唱えたのだった。[7]

トランスヒューマニズムとの交点

革命広場のカール・マルクス記念碑前では、アナスタシア・ガチェバによる演説がその最高潮に達しようとしていた。彼女のよく通る透明な声が広場に響き渡る。
「二〇世紀は、宇宙への進出という大きな成果がありました。しかし、私たちのような短命な存在では、その仕事を成し遂げることはできません」。続いて彼女は、ソ連の生物学者ワシリイ・クプレヴィッチが六〇年代に発した「数十年しか生きられない人間が宇宙を制覇することはできない、一日しか生きられないカゲロウが海を渡ることができないように」という言葉を引用してみせた。そして、次のように演説を締めくくった。

火星や他の銀河に行くためには、不老不死にならなければなりません。肉体を改造する必要があるのです。哲学者のニコライ・フョードロフが言ったように、「我々の肉体は我々の原因となる」のです。不老不死の思想は、深い道徳的な思想です。科学は私たちの道具であることを忘れてはいけません。また、主（Lord）が死を創ったのではないことも忘れてはいけません。科学は、生命、不死、そして復活に奉仕すべきなのです！[8]

神に対する唐突な言及に困惑した気配を見せたオーディエンスはほとんどいないように思われた。すぐさま万雷の拍手が広場を包んだ。続いて壇上に上がったのは、ヴァレリヤ・プライドという女性。彼女は、ロシア初となる人体冷凍保存《クライオニクス》企業KrioRusの最高経営責任者（CEO）を務め、また同時に、今年で二回目の開催となる今回のイベント――徹底的生命延長《ラディカル・ライフ・エクステンション》のための集会――の共同主催者のひとりであった。ヴァレリヤは、再生医療やバイオテクノロジーを国が支援することの重要性をオーディエンスに呼びかけた。「長生きに必要なテクノロジーの多くはすでに利用可能であるのにもかかわらず、ロシアの平均寿命は七〇歳しかありません。これは恥ずべきことです[9]」。

いわゆるトランスヒューマニズム的な欲望、たとえば身体のサイボーグ化や薬物やテクノロジーによる各種のエンハンスメント、不死になることを目的に、コンピュータなど、なんらかのハードウェアに自身の脳内に存在する意識データをプログラムやデータとしてアップロードすること（＝マインド・アップローディング）、あるいはもう少し愚直に（？）、自身の死体を極低温保存して然るべき技術の整った未来に解凍してもらうことの望みに賭ける人体冷凍保存《クライオニクス》、等々は往々にしてアメリカ、とりわけシリコンバレーの専売特許という印象がある。マーク・オコネルが『トランスヒューマニズム』の中で概説しているように、シリコンバレーのテック起業家やビリオネアの多くが徹底的生命延長《ラディカル・ライフ・エクステンション》の信奉者である。たとえばピーター・ティールは、老化に対するオブセッショナルな敵意のもと、様々な生命延長の試みへの資金提供を行っており、グーグルの共同創業者で元ＣＥＯのラリー・ペイジは、グーグルのバイオテクノロジー子会社で、老化に伴う病気と治療法に関する高度な研究を目的とした研究開発企業Calicoを立ち上げている。グーグルが技術的特異点《テクノロジカル・シンギュラリティ》の主唱者、レイ・カーツワイルを技術部門のトップに迎え入れていることからも、シリコンバレー界隈がポストヒューマンかつテクノ千年王国《ミレニアム》的な未来像に多額の賭金を置いていることが窺える。[10]

　もちろん、イーロン・マスクはこの分野にも積極的に手を伸ばしている。マスクが二〇一六年に設立した脳デバイス企業ニューラリンク（Neuralink）は、（後述する）ブレイン・マシン・インターフェース（ＢＭＩ）と呼ばれる、脳の表面に電極付きのコンピュータ・チップを埋め込むことで外部の電子機器と接続することを可能とするインターフェースと、そのチップを埋め込むためのロボット装置を設計している。マスクは、ニューラリンクのデバイスはパーキンソン病や筋萎縮性側索硬化症（ＡＬＳ）などの重い神経麻痺の治療に役立てることができると主張している。しかし、マスクが抱く最終的な目標は、デバイスがスキャンした脳の意識情報をコンピュータにアップロードすることを通じた不死の獲得に他ならない。すなわち、人間は身体を捨てた「非肉体的存在」として、言い換えればデジタルな魂として、不死の存在に生まれ変わるのである。[11]

人体冷凍保存《クライオニクス》企業のうち、もっともよく知られているのはアルコー生命延長財団であろう。アメリカはアリゾナ州のフェニックス市の南、ソノラ砂漠の北端に建てられたアルコーの施設では、世界各国のセレブや資本家、または中東の石油王の死体あるいは頭部を、デュワー瓶と呼ばれる液体窒素で満たされた高さ二・五メートルの巨大なステンレス製シリンダーに「保管」している。これら一時停止した身体と脳は「患者」と呼ばれ、復活または人工的な身体へのアップロードが可能になるであろう来るべき未来までシリンダーの中でひたすら待ちつづける。[12]

世界にはアルコーを含め四つの冷凍保存施設が存在しているが、うち三つがアメリカ合衆国にあるのはさして不自然ではないとして、ひとつがロシアにあるのは示唆的に見えてくる。

というのも、アーニャ・バーンスタインが現代ロシアにおけるロシア宇宙主義やトランスヒューマニズム運動の展開について著したルポルタージュ『不死の未来（The Future of Immortality：未邦訳）』の中でいみじくも指摘しているように、シリコンバレーが不老不死にこだわるようになる遥か以前、一九世紀半ば以降のロシアの思想史では、テクノロジーによる老化や死の克服というテーマ系が繰り返し現れているからだ[13]。その代表格は、言うまでもなくこれまでに私たちが見てきたフョードロフやボグダーノフといった一群の思想家たちである。

もっとも、二一世紀ロシアのフョードロフ主義者たちとシリコンバレーのビリオネアたちとの間には大小問わず諸々の差異も横たわっている。たとえば、後者がカリフォルニアン・イデオロギーに基づくテクノサイエンス資本主義の到来を寿ぐのに対して、ロシアの不死主《インモータ》義者《リスト》たちは往々にして資本主義に対して批判的なスタンスを取っている（なかには「キリスト教社会主義者」をあからさまに自認する者もいるという）。フョードロフ主義者と一部の左派トランスヒューマニストと左派加速主義者に共通して見られる主張のひとつに、資本主義は進歩（progress）を妨げる、というものがある。彼らは主張する――肝要なのは、資本主義が生み出したテクノロジーを単に捨て去るのではなく、それを共通の利益＝共同事業のために「転用」することである、と。

また、ロシア正教やスラヴ主義（あるいはユーラシア主義）といったロシア特有のコンテクストや、ソビエト連邦に対するアンビヴァレントなノスタルジーの感覚なども加味される必要があるだろう。現代のフョードロフ主義者に言わせるところによれば、ソビエト連邦による共産主義の挫折は、それがユートピア主義だったからではなく、むしろユートピア主義が不十分であったことに拠る。端的に言えば、共産主義は時間の問題、言い換えれば死の問題を解決することができなかった。フョードロフの思想は、ソ連時代になると「宗教的すぎる」という理由で追放された。しかし一九六〇年代、宇宙時代《スペース・エラ》がはじまると、フョードロフの宇宙主義は一部で再度注目されるようになる。宇宙への進出に伴い、人間の空間的な限界にブレイクスルーが訪れたことで、必然的に人間の短い寿命という時間的な限界に着目されるようになったからである。だがフョードロフはその一〇〇年前に、この二つの問題は同時に追求されなければならないと説いていた。二〇世紀初頭におけるフョードロフ信奉者の多くは、ロシア革命は、まったく別の規模の革命の最初の一歩にすぎないと考えていた。「不死主義と惑星間主義」というスローガンを掲げるロシア宇宙主義者たちにとっては、私有財産と専制政治の廃止は、自然の専制と空間と時間の専制という、より大きな問題を克服するためのスタートに他ならないのである。[14]

他にも、フョードロフ主義者はシリコンバレーのトランスヒューマニストと異なり、サイボーグ化による強化《エンハンスメント》を否定し、代わりに外付けの器官としての機械に頼ることを前提としない、物質自体の進化を促すような、自力での身体の進化――「有機的進化」――を強調する。フョードロフ主義者は、生命の物質的プロセスそのものを再編成することを通じて、己の身体の再設計を目指すのである。[15] また、シリコンバレーにおけるブロトピア（Brotopia）＝白人男性中心主義的社会と異なり、現代ロシアのフョードロフ運動では女性の割合が目立つのも大きな特徴であるという。[16]

NeuroNet――「精神圏《ヌースフィア》」の実体化

バーンスタインが『不死の未来』の中で一章分を割いて取り上げているのが、「NeuroNet」なるプロジェクトである。このプロジェクトは、ある意味で現代ロシアにおけるロシア宇宙主義のひとつの極点を指し示しているように思われる。

NeuroNetプロジェクトは、しばしばWEB4.0として紹介される。ソーシャルメディア以前のインターネットであるWEB1.0。Wiki、個人ブログ、ソーシャルメディアなど、ユーザー側が参加するコンテンツの重要性が増してくるWEB2.0（これは現在のWEBの状況を指す）。WEB3.0では（明確な定義こそないが）、クラウドコンピューティングやブロックチェーン、それとユーザーではなくコンピュータが意味情報を解釈・処理するセマンティック・ウェブなどの技術によって、WEB全体を無数のコンピュータが共有する巨大なデータベースへと進化させる。

それではNeuroNetが唱えるWEB4.0とはどのようなものか。それは、一言で表すならば、遍《あまね》し人々がニューロ・インターフェースを介して繋がる脳間インターネットである。

ニューロ・インターフェースとしてはブレイン・マシン・インターフェース（BMI）がよく知られており、すでに実装可能な技術である。たとえば、BMIの技術を用いたデジタル制御の義体研究はニューロテクノロジー界隈の中でもホットな分野だ。BMIを介することで、体を動かすことなく、脳の信号を取得・分析し、それを出力装置に送るコマンドに変換して、目的の動作を実行できる。言い方を変えれば、脳波（EEG）だけで外部の電子機器を操作することが可能となる。たとえば、脳波だけでディスプレイ上のカーソルを動かしたり、ロボットアームや義体を操作したりすることが可能となる。だがNeuroNetプロジェクトは、それだけでなく、ニューロ・インターフェースがより日常生活に深く浸透することを望んでいる。同プロジェクトのリーダーであるアンドレイ・イヴァシェンコは、次のような発言をしている。「考えてみてください。近い将来、人間はニューロ・インターフェースを使って、身の回りのあらゆるものをコントロールできるようになるでしょう。家の中のあらゆるものを操作したり、コーヒーメーカーや、その他の家庭用機器を純粋な思考力だけで作動させることができるようになるのです」[17]。

ＷＥＢ４．０、すなわちNeuroNetにおいては、言葉や画像のみならず、主観的状態――「非言語的」あるいは「超言語的」な情報、たとえば自身の精神状態や主観的経験――すらも伝達が可能となることが夢想されている（一部の未来学者は「テレパシーチップによる精神融合」と表現しているという）。このコミュニケーションは、ＢＭＩを搭載したユーザーをネットワーク化することで実現される。ＢＭＩを介することで実現される脳と脳の直接的ネットワーク。人間のＩｏＴ化。モノのインターネットならぬヒトのインターネットの誕生。「精神圏《ヌースフィア》」の実体化。実のところ、このNeuroNetのプロトタイプはすでに存在していると言える。近年、デューク大学において、動物たちの脳に電極を埋め込んだ上でワイヤレスに相互接続させ、複数の動物が思考を同期させてタスクを実行することを学習できるかどうかを調べる実験が行われ、学習が可能であるという研究結果が出た。だが当然のこととして、人間の場合は話がより複雑である。脳神経倫理学（Neuroethics）は勃興中の分野だが、ロシアではとある保守的な宗教団体が国民の「チップ化」に警鐘を鳴らしているという（もっともＢＭＩには、脳に電極を埋め込む侵襲型と、ＥＥＧに依拠した非侵襲型の二種類があり、将来的には脳へのチップの埋め込みはまったく不要になるだろうとNeuroNetの利害関係者は主張している[18]）。

黙示録的な世界観

バーンスタインはNeuroNetの大義について、以下のように簡潔に記述している。

既存のBMI技術は、医療やリハビリ、時には娯楽を目的として開発されているが、NeuroNetはより遠大な目標を持っている。この［WEB4.0という］タームは、ロシアにおいては二つの意味合いを持っている。一般的には、世界を覆う「ネット」という意味合いで表される、目下進展中の諸々のニューロテクノロジーの継続的な開発を指している。だがロシアのコンテクストにおいては、ニューロテクノロジーの発展が集合意識の達成につながるという、幻視的《ヴィジョナリー》なプロジェクトをも意味しており、それはまた空想的な未来学やナショナリスティックな想像力をも取り込んでいる。[19]

NeuroNetの共同開発者のひとり、パベル・ルクシャは、何百万もの人々がNeuroNetによって相互接続された状態は、現在のようなフェイスブックによるそれと異なり、はるかに高度な身体的統合がなされた状態になるであろうと述べる。無意識の要素も多く表面化されることで、完全に開かれた形のコミュニケーションが行われるだろう。それはグループセラピーのような治療効果を生むかもしれない。だが他方で、それとは逆に、深刻な対立や軋轢《あつれき》を生むこともあるだろう、とルクシャは指摘する。とはいえ、彼によればそうしたことは乗り越えられるべき不可避の現象なのだ。ルクシャもフョードロフの伝統を受け継ぎ、世界の不統一の原因を考えている。だがフョードロフと異なり、彼はそれを死の存在にではなく、地球の環境破壊や人類の絶滅可能性を生み出す現在の人間の不完全さに求めている。こうした不完全さは、より高次の意識状態への集団的進化によってしか解決しえない。フョードロフの説いた「共同事業」はニューロテクノロジーによって達成される。人間という、矛盾に絡め取られた存在は、遂に完全なる調和《ハーモニー》へと到達するだろう。

だがここに至って、NeuroNetプロジェクトは急速に黙示録的な千年王国思想に近づいていく。ルクシャは、人類が脳や心をNeuroNetに接続することで発生しうる破壊的な軋轢と混沌を「最後の審判」のプロセスに喩える。我々は集合的な涅槃《ニルヴァーナ》の状態に至ることができるかもしれない。だがそれは、厳しい集団的浄化《カタルシス》のプロセスを経てからに他ならない。ルクシャは言う。我々の眼前には二つの道しかない。このまま絶滅への道を辿るか、それとも「救済」を経て集合的弥勒菩薩（！）の状態へと至るか――。キリスト教と仏教の終末論的イメージの唐突とも思える混合。バーンスタインは、NeuroNetプロジェクトの思想的源泉として、ロシア宇宙主義の他、六〇年代のカウンターカルチャーや東洋思想、さらには神秘思想家ゲオルギイ・グルジェフからの影響などを指摘している。[20]

「先見」というコンセプト

NeuroNetプロジェクトは、長期的な戦略立案にその軸足を置いている。彼らによれば、目先の利益と経済成長を第一義とする資本主義は、その近視眼的性質から環境破壊や天然資源の枯渇に対応することができない。遙か先の未来を見通すこと。「先見」（foresight）は、NeuroNetにとって欠かすことのできないコンセプトである。ロシアはソ連崩壊以降、「未来」のヴィジョンを失った。共産主義という「大きな物語」は解体し、ロシア国民はイデオロギーの空白地帯に打ち捨てられた。NeuroNetプロジェクトの使命、それは「未来」のヴィジョンを創造することである。より具体的に言えば、それはソ連時代における宇宙プロジェクトに匹敵するヴィジョンでなければならない。そう、たしかにあの時代には「未来」が存在していた。彼らによれば、ソ連の宇宙プロジェクトも現代のNeuroNetもともに、それぞれのテクノロジーを、様々なヴィジョンを持ったプロジェクトの目的達成のための手段にすぎないと考えているという点で等しい。その目的とは、私たちをある特定の「未来」に導き、人間のさらなる精神的変革を可能にすることに他ならない。未来は決して固定されたものではない、と彼らは主張する。たしかに未来を予測することは困難極まりない、しかし未来は過去だけではなく、積極的な参加者や利害関係者の決断にも大きく左右される。よって、「先見」のテクノロジーによって未来を創造するためには、次の三つのステップが重要であるという。すなわち、一、人々が特定の未来を信じていること。二、それに同意すること。三、未来を創るための積極的な行動を開始すること。[21]

国家規模のプロジェクトへ

NeuroNetプロジェクトはアマチュアの技術愛好家たちの想像力から始まった。それは元々はボトムアップ型のプロジェクトであった。だが今や、同プロジェクトは権力の上層部の関心をも惹きつけている。二〇一五年、NeuroNetプロジェクトのロードマップが、ドミトリー・メドベージェフ首相が議長を務める、国の財政支援の優先順位を決定する「近代化・革新的経済発展に関する大統領評議会」に提出され、評議会に正式に受け入れられた三つのロードマップのうちのひとつとなった。[22]

ロシア政府の上層部が、NeuroNetを二一世紀におけるアメリカとの新たな「宇宙開発競争」の武器として利用しようと算段しているのかどうかは定かでないが、欧米に対抗できるだけの市場と「大きな物語」を模索しつづけているロシアにとって、NeuroNetが新たな潜在的市場として浮上してきた、ということは大いにありうる。

他にも、NeuroNetは政府の戦略イニシアチブ庁（ＡＳＩ）が二〇一五年初頭に立ち上げた、「二〇三五年までに根本的に新しい市場を創造し、ロシアが世界的な技術的リーダーシップを発揮するための条件を整える」ことを目的とした全国的なプログラムにも深く関わっている。ここに見られるのは、草の根のユートピア計画が、国家規模のプロジェクトへと回収されていく過程である。ここにはロシアの精神史を貫くナショナリスティックな欲望――「西洋近代の超克」というイデオロギーがどこまでも重く横たわっている。

4

新ユーラシア主義

現代ロシアにおける展開②

たいていのユートピア物語は好きになれない。ちっとも信じられないからだ。私にとってのユートピアは、どうしても他の誰かにとっての地獄になってしまうように見える。

――オクテイヴィア・E・バトラー『血を分けた子ども』[1]

思い出というやつは正面から攻めてくるわけではない――横から忍び込んできてこちらをつかまえるのだ。

――カーソン・マッカラーズ「木、石、雲」[2]

没落する西洋、未来あるロシア

ロシアがギリシア正教を受け入れて国教としたのは一〇世紀末のことだった。当時の東ローマ帝国の首都コンスタンティノープルには、正教世界の宗教的最高権威者である総主教が君臨し、そこからロシアを含めた府主教区へ府主教が派遣されていた。ところが、フィレンツェ公会議に引き続いて起きた、一四五三年の東ローマ帝国滅亡という世界史的動乱によってコンスタンティノープルの権威が失墜すると、ロシアこそが正統かつ真の正教保護国に相応しいという信念が芽生えた。いわゆる、「モスクワ＝第三のローマ」というイデオロギー、言い換えれば真のキリスト教である正教を奉ずる聖なるロシア、同時にその正教を物理的に護持する唯一の大帝国ロシアという、宗教的かつ民族的な選民意識、これらが一五世紀末までに確立され、ロシアの精神的な底面を連綿と形作って現代にまで至っているのである。[3]

ロシアの近代史は、そのはじめから〈近代〉との相克と葛藤で塗られていた、と言ってよい。一七世紀末に開始された、ロシア皇帝ピョートル一世による西欧化改革は、ロシア史に消え去ることのない断絶を刻み込んだ。ピョートルはペテルブルクに都を移し、バルト海を睨んだ軍事改革を手はじめに、税制、官僚制、教育制度など、国家機構を大々的に西欧流のものに置き換えていった。このロシアにおける近代化＝西欧化は、結果として、ロシア国内に西欧文明を享受する一部の上層階級と、他方にそうした西欧化の恩恵に与《あずか》ることなく、ピョートル以前の古い生活を続けざるをえなかった大多数の農民たちという、分断された二つの階層をロシア社会にもたらした[4]（この、上からの急激な改革による過去のモスクワの伝統との決裂、そして上流階級と下流階級の分裂という二つの大きな断絶にこそ、ボリシェヴィキ革命の起きた歴史的背景を求めているのは思想史家のセルゲイ・レヴィーツキイである[5]）。

だが、ピョートルの改革は、上層階級の知識人たちの間にも分裂をもたらした。彼らによって争われたピョートル改革の意義を巡る喧々諤々の議論は、のちに西欧派とスラヴ派の陣営に分かれてからも引き続き争われた。たとえば、ピョートル改革を基本的に支持する西欧派の知識人の代表格、アレクサンドル・ゲルツェンなどは、外から流入してきた西欧文明によって、ロシアは西方と東方を総合させた独自の文化を醸成していくだろう、と来たるべき未来への希望を語った。概して西欧派は、ロシアはその国民的な自己同一性＝独自性を失うことなく、普遍的でグローバルな文化を生み出し世界へ発信していくだろうという希望的観測のもと、ピョートル改革を評価するという点で一致していた[6]。

他方で、一九世紀に入ると、西欧派の中からも一種のロシア回帰が生まれてくる。西欧に実際に滞在し、進歩的でかつ啓蒙的とされた西欧世界を実地に観察していた彼らは、しかし西欧の生活全般の中に理想化されたそれとは一致しない、現実の欠点が多く目につくことに気づく。ここから、「遅れたロシアと進んだ西欧」という単純化された二項対立の図式を疑い、遅れたロシアの中にもいわゆる「後発の利益」を見出そうという機運が生まれてくる。一九世紀の中頃になると、西欧批判に根ざした国民思想と呼ばれるものがロシアで誕生し、ロシアと西欧近代を巡る問題、ロシアの国民的特質とは何か、といった議論が好んでされるようになる。そして、スラヴ派の問題意識はこうした議論の延長線上で出来してきた。[7]

後期スラヴ派のリーダーのひとり、イワン・アクサーコフがまだ若者であった頃、ヨーロッパ旅行へ出発する直前に、父親セルゲイから次のような言葉を投げかけられたという。「いわゆる文明というやつが、ヨーロッパの国民をどんな哀れな結果へ導いたか、おまえは自分の目で確かめられるだろう。［……］われわれには少なくとも未来がある。だがヨーロッパには、もはやそれがない」。同様に、トルストイは晩年に、「私たちには未来がある。西欧の国民からは、もはやなにひとつ期待することがない」と書き、思想家ニコライ・ベルジャーエフも、「スラヴ人種は、すでに役割を終えて没落に瀕している他の人種に取ってかわろうとしている。それは未来の人種なのである」と、第一次世界大戦の最中に書いている。[8]

これら一連の発言は、スラヴ派のオブセッショナルな信念を端的に表している。「没落する西洋」と、それに対置された「未来あるロシア」という信念である。そして、この信念を底面で支えているものこそがメシアニズムに他ならない。すなわち、真のキリスト教である正教を信じる聖なるロシア、という理念の回帰である。

〈ロシア的精神〉とは何か

だが本題に分け入る前に、スラヴ派を論じる上で避けて通れない、ロシアにおけるドイツ・ロマン主義を巡る情況について簡単に述べておく必要がある。前出のレヴィーツキイは、ロシアの哲学思想における最初の本格的な目覚めは、一八二〇年代初頭、ドイツ・ロマン主義とドイツ観念論がこの大陸に輸入されてきたことを端緒とする、と述べている。レヴィーツキイによれば、ロシア思想を最初に鼓舞したのは、ドイツ観念論の代表的哲学者シェリングである。ロシアのシェリング主義者たちは、一八二三年に結成された〈愛智者〉というサークルに集った。〈愛智者〉の会長であり、同時にロシアにおける最初のシェリング哲学者、ウラジーミル・オドーエフスキイの思想の根幹には、理性の横暴に対する抗議、それと合理主義の克服というテーマがあった。オドーエフスキイは、西洋的理性によって不当に虐げられてきた本能的な直観力を称揚することで〈近代〉に抵抗しようと試みる。直観力を理性的な段階にまで高めること、一言でいえば「理性と直観の総合」こそが目指されなければならない。のちのスラヴ主義的メシアニズムの根本原理となった理念は、すでにオドーエフスキイの思想の中に胚胎している。西欧は滅びつつあること、我々ロシア人は、ヨーロッパの肉体だけでなく、魂も救わねばならないこと、信仰と科学と芸術の聖なる三位一体の中にこそ、精神的な安らぎを見出せること、等々……。これらは、彼が哲学的・空想的小説集『ロシアの夜』の中心人物の口を借りて述べていたことである。オドーエフスキイはまた、ロシアの理念はすべての理念の総合的調和であること、すべてを包み込むロシア精神の多面性、その普遍性の持つ力、などについても熱心に語っていた。[9]

一九世紀の中頃までには、それまで西欧派のバイブルであったヴォルテールやフランス百科全書派などの啓蒙主義哲学の影響は、カント、フィヒテ、シェリングなどのドイツ観念論哲学の影響に取って代わられていた。だがとりわけ、偉大な国民は全世界的・歴史的な使命を持っているという、シェリングやヘーゲルの理念が、ロシアの若い知識人を惹きつけた。一八一二年のロシア戦役では、ロシアに侵攻してきたナポレオン軍を撃退し、このことがロシアにナショナリズムを勃興させる契機となった。西欧をナポレオンの支配から解放してやり、西欧に旧秩序を取り戻してやったのだという自負心。この頃には、西欧派とスラヴ派の対立は決定的なものとなっていた。スラヴ派は、ロシアが独自の文化的特質を失ってしまったことの元凶を、他ならぬピョートルの西欧化改革に求めた。彼らはロシアの近代化を否定し、古代ロシアの生活や文化の原理の復活こそが喫緊の課題であると訴えた。そして、その際の原理として彼らが重視したのが、正教の精神、すなわちメシアニズムに他ならなかった。この点について、レヴィーツキイは、〈スラヴ主義〉という呼称は誤解を招きやすく、むしろ〈正教ロシア主義〉と呼ぶほうがより正確だろうと述べている。ちなみに、彼は、スラヴ派は〈ロシア的精神〉を擁護したが、しかしそれは偏狭な国粋主義や帝国主義的ナショナリズムへの志向とは何の共通性もなかったと主張しているが、この点については議論の余地があるだろう（実際、スラヴ派の多くは一八五三年に勃発したクリミア戦争を聖戦と呼んで熱烈に支持することを躊躇《ためら》わなかった[10]）。

それはさておき、ではスラヴ派が顕揚してみせたという〈ロシア的精神〉とは具体的にどのようなものを指すのだろうか。初期スラヴ派を代表するアレクセイ・ホミャコーフを例に採れば、彼は西欧近代が崇拝する理性的で利己的な個人主義に対して、〈ソボールノスチ〉（「総和主義」「連帯感」「調和」などと訳される）と呼ばれるロシア正教の理念を対置させた。それは言ってみれば、神の恩寵の統一体である教会を中心とした一種の社会的有機体であり、愛によって結合された「総和」の精神である（ここにはシェリングの有機的総合の宇宙観が遠く反響している[11]）。

同様に、もうひとりの初期スラヴ派、イワン・キレーエフスキイは、ロシア正教に現れている精神を〈全一性〉と呼ぶ。ローマ教会のカトリックは、悟性的、抽象的、分析的な性向に偏っており、精神を統一的に捉えようとしないのに対して、正教の神学は、常に精神の「内的全一性」を壊さないで、ひとつの生き生きとした姿のまま統一的に捉えるのであり、これこそが真理へ到達するための唯一の方法に他ならないのだと彼は唱える。ローマ教会が本来の生きた信仰をもはや失っているとすれば、さしずめ正教会は神によって真理を約束された最後の教会である。キレーエフスキイはそう結論づけた[12]。

ユーラシア主義の形成

ホミャコーフの〈ソボールノスチ〉や、キレーエフスキイの〈全一性〉の観念は、のちにエフゲニー・トルベツコイの著作で体系的に研究されることになる。ところで、このエフゲニーの甥、ニコライ・トルベツコイこそが、二〇世紀のロシア人亡命者の中から生まれた、ユーラシア主義と呼ばれる特異な思想潮流の創始者のひとりであったことは、単なる偶然ではないだろう（ニコライ・トルベツコイについての以下の記述は主に浜由樹子の著書『ユーラシア主義とは何か』に負う）。

ニコライ・トルベツコイは、一八九〇年、モスクワの正教徒の名家に生まれた。父を早くに亡くしたニコライは、その思想形成をもっぱら叔父のエフゲニーに拠っており、のちにエフゲニーの主宰する宗教学・哲学サークルにも参加している。ニコライは一三歳頃から民俗学に興味を持ちはじめ、一五歳で最初の論文——「異教」の葬式と死者供養の慣習を表現したフィン語系民族の詩を、民族誌学の観点から解釈したもの——を発表するという早熟ぶりを発揮した。以後、彼は自らの関心領域を、ロシア帝国内の非ロシア民族や少数民族の文化、民俗、言語にフォーカスさせていく。[13]

ニコライ・トルベツコイ

トルベツコイの人生における最初の大きな転機は一九一七年、すなわち十月革命によって引き起こされた。当時、健康を害していたトルベツコイは、療養していたキスロヴォツクの地で十月革命の報を受け取る。リトアニア系貴族の名家の血を継ぐトルベツコイは、モスクワへ帰るのは危険と判断、亡命の決心をする。ここから、トルベツコイの漂泊と彷徨の生がはじまる。一九一八年、モスクワから二〇〇キロ離れたロストフ大学で職を得て、言語学や比較音声学の講座を受け持つ。しかし、一九二〇年にロストフが赤軍の手に落ちると、クリミア、ヤルタ、コンスタンティノープルを経由してブルガリアへと亡命。当地の大学でも比較言語学やインド宗教思想史の講座を担当するも、契約が切れた一九二二年に今度はオーストリアへ移り、ウィーン大学でスラヴ言語学や音韻論を教えている[14]。

この時期のトルベツコイの活動の中で特筆すべきは、プラハ言語学サークルへの参加である。一九二六年にヴィレム・マテジウスを中心にして、チェコスロバキアのプラハで結成された当サークルは、コペンハーゲン学派、アメリカ記述言語学派と並んでフェルディナン・ド・ソシュールから直接的な影響を受けた構造言語学の中心的な学派のひとつであった。東の国際都市プラハに、ボフミル・トゥルンカ、ソシュールをロシアに紹介したセルゲイ・カルツェフスキー、そしてトルベツコイの同僚でもあったロマン・ヤコブソンなどが集い、西洋的知に地殻変動を巻き起こす構造主義へと繋がっていく重要な活動を展開していくに至る。たとえば、トルベツコイは著書『音韻論の原理』において、ロシアの言語学者ボードアン・ド・クルトネとソシュールの理論を総合し、「音素」「共時態」「体系」といった音韻論における一連のキー概念を整備している[15]。いわゆる構造主義は、フロイトなどと並んで主体におけるる理性的自我の特権的地位を批判し、それを差異と共時性の網の目から成る無意識のフロウに還元解体させることを試みた点で西欧思想史上の画期をなす。それは近代の理性主義に対するコペルニクス的転回であり、さらに言えば、祖国から疎外され、漂泊を余儀なくされたトルベツコイの生それ自体がさしずめ浮遊するシニフィアンに他ならなかったのである。

構造主義が主体の特権的地位を鋭く批判したとすれば、同様にトルベツコイは世界における西欧の特権的地位を鋭く批判した、と言える。すなわち、「あらゆる民族と文化は、いずれもすべて等しい価値を持ち、高いものも低いものもない」という相対主義的文化観が彼の、そしてユーラシア主義の共通の価値観であった。ヨーロッパでもアジアでもない「中間世界」たるロシア、とりわけ、様々な民族と言語がモザイクのように混ざり合いながらも、調和しながら共生している「ユーラシア」のイメージは、トルベツコイに重大な霊感を与えた[16]。

浜由樹子は、ユーラシア主義の形成にとって、亡命と革命という経験が重要なファクターとなっていることを強調している。祖国を失ったトルベツコイは、外の世界で異なる価値体系と向き合ったことで、翻って「ロシアとは何か」という視点を得ることが可能となった。また、革命とそれに続く内戦の混沌は、ヨーロッパを真似て、ロシアの本質にそぐわない共産主義という思想を移植した結果が「悲劇」を招いたとするボリシェヴィキ批判に彼を導いた。そこから、ヨーロッパ中心主義による均質化がもたらした破壊から、いかにロシアを「再生」させるかという切実な問題意識がユーラシア主義に結実した。時あたかも、シュペングラーに代表される「西洋の没落」論が耳目を集めていた。こうした状況下で、ユーラシア主義が西欧文明のオルタナティブとして押し出そうとしたのが、文化的多様性を内包したロシア・ユーラシアなのであった。[17]

運動としてのユーラシア主義は、一九二一年にブルガリアにおいてトルベツコイを中心とした四名の亡命知識人が著した論文集『東方への旅立ち』が刊行されたことに端を発する。一九二〇年代を通じてこの思想運動は、主要なロシア人亡命者のコミュニティが存在したプラハ、ベルリン、パリを中心に広がっていった。当初、メンバーはソビエト体制に批判的な者が多数を占めていた。しかし、大方の予想を裏切りソビエト体制が安定化してくると、ソビエトに対する評価を巡って意見が分かれ、やがて対立が表面化してくる。一貫して共産主義に対して批判的であったトルベツコイは、一九二九年に運動から離脱するに至る。運動としてのユーラシア主義も、それに伴って衰退していった。[18]

プーチンと新ユーラシア主義

ユーラシア主義は第二次世界大戦へ向かう騒乱の中で消えていったが、ソ連崩壊後の一九九〇年代に入ると、ロシア内外でにわかにユーラシア主義のリバイバルが生じる。この点について、浜は次のように指摘している。

一九二〇年代のユーラシア主義が、ロシア帝国の崩壊の後、この地域がどうあるべきかという問いに支えられて現れたのと同様に、ソ連崩壊によって生じた「アイデンティティの真空状態」を埋めるために再びユーラシア主義を提唱する人々が現れた、という構図をそこに見出すことができる。国家の消滅後、「ロシアとは何か」が問われる歴史上の局面において再び、ユーラシア主義が取り上げられたのである[19]。アイデンティティの空白状態と、それを埋めるために回帰してくる亡霊としての思想（もちろん正教の教義もセットだ）。ユーラシア主義が、私たちが見てきたロシア宇宙主義と相同的な関係にあることがわかるだろう。

　現代に復活してきたユーラシア主義——新ユーラシア主義——の代表的論客としては、アレクサンドル・ドゥーギンをおいて他にない。グローバリズムとアメリカ一極主義を批判し、旧ソ連領（ユーラシア）をロシアの勢力圏とする領土拡大志向の外交戦略を説くドゥーギンは、一般に右派イデオローグに数えられているが、他方で彼はポストモダニストとしての一面も持つ。とはいえ、彼にとってポストモダンは近代（的リベラリズム）を深化させたものであり、それがゆえに近代とともに超克されるべき対象である。ドゥーギンは、シミュラークルに覆われた現代の虚無性それ自体を貪り蕩尽《とうじん》せんとするポストモダン的主体における〈外部〉への志向性を「ダーク」なものと呼び、近代化の果ての暗黒を「暗黒そのもの以上

アレクサンドル・ドゥーギン
©Fars Media Corporation

の暗黒」をもって超克しようと企てる。[20]

ドゥーギンはポストモダン右翼らしく、ハイデガーやシュミットをはじめ、無数の思想家のテクストを戯れのように引用してみせる。だが、とりわけ彼が好んで引用するのは、「右翼グラムシ主義」を標榜するフランスの政治哲学者アラン・ド・ブノワである。フランスにおける新右翼《ニューライト》の主要プレイヤーであるブノワは、ヨーロッパ普遍主義と平等原理に「否」を突きつけ、それに代わる文化的多様性に基づく多元主義を唱える。一見するとリベラルに聞こえなくもないこれら相対主義的言説の背後には、しかし集団的アイデンティティの保全を至上命題とし、集団的純粋性の神聖化、遺伝子的・文化的混淆の拒絶、さらには集団にとっての「異分子」である移民の排斥や隔離をも肯定する排外的論理が隠されている。[21]

ドゥーギンは、一九九三年には元アングラ詩人であらゆる権威に反抗する作家エドゥアルド・リモーノフと国家ボリシェヴィキ党（ＮＢＰ）を設立、そのパンクな反権力性によって当時のサブカルチャーにおいて支持を集めていた。そんなドゥーギンだが、他方でアメリカのオルタナ右翼ムーブメントとも近い位置にいる。「オルタナ右翼（alt-right）」という語の命名者としても知られる白人至上主義者リチャード・スペンサーはドゥーギンのファンのようで、彼が運営するサイト「AltRight.com」にドゥーギンは寄稿者として名前を連ねている。[22]なお、スペンサーの妻ニーナ・スペンサーは、ドゥーギンの翻訳活動を自身のブログで行っていることでも知られる。[23]

ドゥーギンは繰り返しプーチンに対する支持を表明し、二〇二二年のウクライナ侵攻の際には、各国のメディアが「プーチンの頭脳」としてドゥーギンを紹介した。東西冷戦の亡霊がユーラシア大陸に回帰している現在、「歴史の終焉」が幻想でしかなかったことが改めて浮き彫りとなった。ロシアとウクライナの分断の背後に、前述してきたユーラシア主義とそれを支えるメシアニズムが深く根を張っているとすれば、あるいは言い換えれば、プーチンの言動が、一九世紀末のスラヴ派に端を発する「反‐近代西欧」的な精神を連綿と受け継いでいるとすれば、分断の根は思いの外深いと言わざるを得ない。すなわち、その根がまさしく一八世紀初頭のピョートル一世による西欧化改革に存在しているのかもしれず、であるならば西欧諸国による道義的非難や制裁によってロシアとウクライナの問題が解決できると考える楽観的思考はここでは役に立たないだろう。なにせ、ドゥーギンはウクライナ戦争を

「文明の戦い」と表現しているのだから。

二つの「スペース」

ユーラシア主義とロシア宇宙主義の親和性は、それがどちらも（地理と宇宙という二つの意味での）「空間《スペース》」に深く関わる思想という点でも明らかである。この二つの（ときに絡み合った）思想潮流がロシア精神史に果たした役割については、すでにマルレーヌ・ラリュエルが論考「運命としての空間」の中で詳《つまび》らかにしている。それによれば、二〇世紀後半、ユーラシア主義とロシア宇宙主義を総合させたのはレフ・グミリョフという思想家だった。グミリョフは、ウラジーミル・ヴェルナツキーの生物圏《バイオスフィア》と精神圏《ヌースフィア》の概念から着想を得た上で、「人間の運命が地理から受ける影響を、宇宙主義的な想定にもとづく極端な生物学的決定論にまで変容させた[24]」。

グミリョフは、民族の特徴は宇宙環境と地球環境全体に依存しており、領域はそのごく一部にすぎないと主張し、その際に援用されるのは物理学、化学、生物学、遺伝学といった諸分野であった。たとえば、太陽活動、動植物の間のエネルギー循環や、地質・鉱物の活動、地表の生物から発せられるエネルギー、等々といったファクターから民族が誕生する、と彼は説いた[25]。

ロシア特有の空間的性格に基づいた歴史時間があるという発想のもと、宇宙と地理をアナロジカルかつアクロバティックに結びつけたのは、他ならぬヴェルナツキーの息子で中世ロシア史家のジョージ・ヴェルナツキーであった。彼の思想のベースには、「異なる複数の歴史時間の共存」というドグマがある。たとえば彼は、モスクワ・ロシアではすでに過去になっているものが、シベリアではまだ、モスクワから遠く離れているがゆえに現存していることがある、という事実から、「かつて中心に存在して、そこではずいぶん前に死滅してしまったものの残響が、中心から離れるにつれますます多く見つかるようになる」というテーゼを導き出す。すなわち、

ヴェルナツキーはこの時間関係について、一〇〇〇露里の距離は一〇〇年前にさかのぼるのに等しい、と言い切ってさえいる。その結果、相異なる時代に生きる中心と周縁のあいだには、非同期性が生じるだけでなく、ロシアの様々な時代が、数えることも可能な物質的実体となって現れる。こうしてユーラシアは、天文学の対象となりうるような、宇宙と似た特性を帯びていく。つまり、遠くに目をやるほどに、時間を遡行することになるのだ[26]。

以上のような、ロシアには人間と地理、さらには宇宙とのあいだに独自の関係性が存在する、というアイディアのもと、ロシアの帝国性が、空間《スペース》との特殊な結びつきによって正当化されるに至るのである。彼らにとって、ユーラシアとは広大な大地と宇宙とが出会い混じり合う特異点に他ならない。かつてフョードロフが「わが国の広大な空間は、偉業のための新しい舞台となる天上の空間へとつながる通路なのだ」と書いていたことを、ここで改めて思い返す必要があるだろうか。

日本における受容

日本におけるユーラシア主義と宇宙主義の展開についても、紙幅の許す範囲で簡単に素描しておこう。

日本へのユーラシア主義の紹介は、一九二六年、トルベツコイの『ヨーロッパと人類』を嶋野三郎が日本語訳出版したことを以て嚆矢《こうし》とする。ロシア研究家である嶋野は当時、南満州鉄道株式会社（満鉄）の東京支社にあった東亜経済調査局に勤務していた。嶋野は一九一一年にのちに石原莞爾のブレーンとなる宮崎正義らとロシアに派遣留学、ペトログラード大学で哲学を学んでいる最中に十月革命とそれに続く内乱を経験している。満鉄入社後の一九一九年には、北一輝や大川周明らと共に政治結社である猶存社及び行地社に参加したが、二

・二六事件に連座したことで二年間ヨーロッパに追放されている。[27] 嶋野は北一輝や大川周明といった、戦前におけるアジア主義の周辺にいた人物であり、トルベツコイもそうした文脈のもとで受容されたものと思われる。

北一輝といえば、初期の著作『国体論及び純正社会主義』の中で、ダーウィン進化論に根ざしたユートピア的な社会主義のヴィジョンを提示しているのが興味深い。北は、人間の道徳的良心は世代を更新するうちに生物学的に進化していく、と説いた。やがて来る高次の社会形態である純正社会主義の実現によって、人類は統一され、生存競争は止揚され、人類は新たな「神類」へと生物学的に進化を遂げるだろう。その進化の最終局面においては、歴史は終焉し、全人類が仏教的な悟りの境地――涅槃――に至る。彼はそう信じた。[28]

クリントン・ゴダールの著書『ダーウィン、仏教、神』によれば、二〇世紀初頭の数十年間には、様々な思想家たちが、北一輝の進化的ユートピア主義から影響を受けたとおぼしき理論を示したという。その中のひとり、明治期におけるナショナリズムの思想家として知られる三宅雪嶺は大著『宇宙』の中で、宇宙はひとつの崇高な有機的生命体であるとするヴィジョンを生物科学を援用しながら提示した。[29]

科学思想史を専門とする奥村大介は、雪嶺の『宇宙』について、「日本近代においてきわめて希有なコスミズム（le cosmisme）たりえている」と評価を惜しまない。[30] 雪嶺（本名雄二郎）は一八六〇年生まれ、東京大学では社会進化論で知られるスペンサー、それにカントやヘーゲルなどのドイツ観念論を学んでいる。雪嶺が一九〇九年に著した『宇宙』は全体が五部から成る重厚な書物であり、雪嶺哲学の集大成的作品との評価もある[31]。

雪嶺は同書の中で、宇宙全体を「原生界」と名付ける。彼はいわゆる宇宙有機体説、すなわち宇宙全体がひとつの生命体である、という立場を表明するためにこのタームを選択している。そして、〈未来の天文学〉の構想のために、生命体たる宇宙を解剖する学問としての「宇宙生理学」を雪嶺は提唱する。宇宙全体である「原生界」に対して、それに内包される人間を含む生物の諸世界は「副生界」と定義される（ある箇所では、地球以外にも副生界が存在する可能性、言い換えれば地球外生命の可能性についても言及される。その際に雪嶺が地球外生命が存在する可能性がもっとも高い惑星として挙げたのが火星だった）。雪嶺によれば、「原生界」こそが根源的かつ永続的な生命であって、「副生界」はあくまで副次的かつ一時的な、儚いものでしかないという。奥村はこの点について、雪嶺は「原生界」にこそ価値の中心を置くことで、人間を含む生物の特権性を否定し、生物中心・人間中心の価値観や倫理観を、西欧科学上の知識を通過させた上で批判した、と指摘している[32]。

続く箇所では、無機物から有機物、動物全般から人間、さらに人間社会の発展史へと話題がシフトしていく。家族的社会から国家的社会、国際的社会を経て、やがて人類は国境を取り払いひとつの「大きな国家」になるという予言的ヴィジョンが語られる。加えて、ニーチェの影響下にある雪嶺は、人類は進化によって種が分化してゆき、やがて数万年の進化の果てに〈超人〉という種が現れる可能性をも示唆する。ただし雪嶺は、〈超人〉を進化の極点とするのは早計であり、「意識」を超えた「超意識」としての宇宙こそが究極の普遍存在であると念を押す。そして、宇宙の変遷、その進化の法則＝目的を知ることができれば、理論的には宇宙のすべてがわかるという理路のもと、宇宙の全的認識——〈渾一観〉——を得るための方法の考究へと筆は続いていく[33]——。

全体として見ると、雪嶺の『宇宙』はロシア宇宙主義というよりは一九世紀におけるドイツの物理学者、グスタフ・フェヒナーの汎神論的宇宙観を想起させる。それについてここで詳述する余裕はもはやないが、アメリカではウィリアム・ジェイムズの晩年を彩る多元的世界論へ影響を与え、日本では西田幾多郎や稲垣足穂にも霊感を与えたフェヒナーの特異な宇宙論について興味のある向きは、福元圭太の『賦霊の自然哲学——フェヒナー、ヘッケル、ドリーシュ』などを別途参照されたい。

アフロフューチャリズム

第2章

故郷《ルーツ》としての宇宙

1

止まって、僕を乗せておくれ

サン・ラー

ダンスとは反逆することなのだ。ダンスとは中立的な紐帯ではない。ダンスは、思惟や人間的な感性を欠いた身体的なねじりやよじりのたんなる帰結ではない。踊り手はただの消化器官ではないのだ。人は踊りに誘われ、とりわけ自らをそこに誘い入れる。ダンスは閉鎖した秘匿空間であり、そこで人は自己存在を明らかにし、深奥の自己を露にする。ダンスとは、語ると同時に自己に語りかけるということなのだ。この行為をなすために人は、路上、劇場、祭などの場所を選ぶ。この表現の場は合法あるいは非合法の場合もありうる。ダンスとはひとつの場所化された空間であると言えよう。内に向かうと同時に外に向かうこの場所はとてつもない力を内包する。ダンスがこのように内破し、外破する力の場所として現出するがゆえに、ダンスは奴隷制社会の空間を管理することになったのである。

——ガブリエル・アンチオープ『ニグロ、ダンス、抵抗』[1]

「コスミック・ゾラ」(宇宙的なゾラ)。あなたをはじめて読んだ頃、この一語に大いなる霊感を受けた。「わたし」「黒人」「女性」といった、存在を囲い込む不自由な社会的帰属やラベルをひとおもいに放擲したとき、人はコスミックな存在となりうる。そもそも人間が帰属する場所があるとすれば、それはこの、美と崇高さと神秘とをまるごと抱く「宇宙」にほかならない。人間の根拠はこの宇宙に結ばれている。人間のあらゆる表現も、感情も、智慧も、この宇宙の反映なのだ。そうだとすれば、黒人を含めたアメリカの人間すべてが落ち込んでいる政治的・社会的・経済的隘路から脱するには、民衆の生の根源にあってすべてを包み込んでいる、この「宇宙」を最終的に相手にしなければならない。

——今福龍太[2]

黒人の受苦と闘争

二〇二〇年五月二五日、ミネアポリス近郊でジョージ・フロイドが白人警官に絞め殺された。彼は「息ができない（I can't breathe）」と喘ぎながら息絶えていった。その惨《むご》たらしくも残忍な映像がSNSで拡散されると、各地で直ちに抗議運動が発生した。

アフリカ系アメリカ人が白人警官の暴力によって殺されるのはこれが初めてではない。むしろ逆だ。歴史は白人警官による黒人への暴力に塗《まみ》れていた。といっても、なにも公民権運動以前のジム・クロウ法時代の話をしようとしているわけではない。たとえば、一九九一年、ロサンゼルスではスピード違反の疑いで停車を命じられたロドニー・キングが警官によって激しい暴行を受けている。その様子がたまたま近隣住民によって撮影されていたために全米が震撼、結果的に翌年のLA蜂起にまで繋がっていくこととなる。二〇〇九年には初の黒人大統領が誕生するが、奇しくも彼が再選を果たした二〇一二年、フロリダ州サンフォードにて一七歳のトレイヴォン・マーティンが自警団に射殺される事件が起きている。この事件を端緒に、#BlackLivesMatterのハッシュタグがSNS上に登場、三人のクィア・フェミニスト女性ら（アリシア・ガーザ、パトリス・カラーズ、オパール・トメティ）によってブラック・ライヴズ・マター（BLM）の運動が開始される。しかし、白人警官による黒人への理不尽な暴力が消えることはなく、二〇一四年にはミズーリ州ファーガソンにおいてマイケル・ブラウンが射殺され、またニューヨークではエリック・ガーナーがフロイドと同じように無防備のまま警官に絞殺されている（彼の最後の言葉もまた「息ができない」だった）[3]。

黒人の過酷な受苦は、その〝初め〟から存在していた。〝初め〟、というのはもちろん大西洋奴隷貿易のことである。一六世紀、白人によって開始された大西洋奴隷貿易は、オランダ、フランス、イギリスの三国が主導権を握ることで、一八世紀に全盛を迎える。ヨーロッパ各国は取引に使うラム酒や銃器などの商品を西アフリカへ送り、代わりに現地で黒人奴隷を購入。奴隷船によってカリブ海や南北アメリカへと運ばれた奴隷は、砂糖や綿花のプランテーションで強制労働に従事させられた。そうして得られた生産物を今度はヨーロッパへと持ち帰る――いわゆる三角貿易の完成である。とりわけ西インド諸島のプランテーションからイギリスの織物工場にもたらされた大量の原綿は、産業革命において欠かすことのできない役割を担った。つまり、当時の資本主義は奴隷貿易を基盤として発展していたのである[4]。

黒人による闘争と抵抗も、その〝初め〟から存在していた。プランテーションからの逃亡を企てる奴隷、労働サボタージュ、叛乱、自殺、白人奴隷主の毒殺、そして抵抗としてのダンス――。「隷属制度を維持するために抑圧されていた奴隷にとって、ただひとつ残されていた道は抵抗することであった」[5]。

帝国主義と植民地主義に対する組織的抵抗はハイチ革命（一八世紀末〜一九世紀初頭）に結実し、近代史の中で初めての黒人共和国を誕生させた。また、一八四〇年頃には奴隷または奴隷制廃止後の黒人によるアフリカ回帰の動きが見られた。二〇世紀には、世界中に散らばった黒人たちの解放および連帯を訴えたパン・アフリカニズムが台頭し、一九五〇年代の公民権運動は、キング牧師やマルコムXといったプロテストの闘士を生んだ。

とはいえ、現在に至ってもアフリカ系アメリカ人に対する差別や抑圧は依然として存在しているし、彼らの境遇は未だに（経済面においても）苦しい局面に置かれていることに変わりはない。黒人はマジョリティになることができない。常にマイノリティであることを強いられている。そこでは、彼らの存在も、歴史も軽んじられ、重きを置かれることは遂にない。たとえば、初期のデトロイト・テクノを象徴するひとり、ジェフ・ミルズはインタビューの中で、アメリカの学校教育において黒人の歴史が軽んじられていることについて述べている。

黒人はアフリカ大陸のあらゆるところから奴隷として連れてこられた。だから我々の歴史は多くの国、文化とつながっている。でも、アメリカの学校教育では、我々がどこからきたのか習うことはない。自分たちの祖先に関して知っておくべきことは何も習わない。

［……］冗談でよく黒人は「自分たちがどこからきたかわからない」と言うけれど、それは真実なんだよね。だから、自分の人生や歴史をゼロからはじめても同じというか、そういうことを思いつくのも理解できるんだよ。よくサン・ラーのことを考えるんだ。彼のしたこと、自分独自のリアリティを創り上げたこと。土星出身だと主張して、生きている間、ずっと自分のホーム・プラネットへ帰ろうとしていた。音楽も彼のまわりのすべてのことが、その思想に基づいてつくられた。この国がこういう状態だからこそ、あり得たことなんだ。[6]

故郷喪失、アフリカン・ディアスポラ（離散）の根底にあるもの、それは、自分たちがどこからきたかわからない、自分たちのルーツ（roots = routes）を知らない、という集団的記憶喪失である。ルーツを、起源を、故郷を、その初めから奪われているということ。この世界には居場所も、帰るべき場所も存在していないということ。ここに、世界中に散開していったブラックピープルの存在論的なあり方がある（たとえば抗議運動中、アントワープ市内のレオポルド二世の像が攻撃され、後日に撤去されるという出来事があった。ここには一九世紀後半、コンゴ河流域で先住民がベルギー国王レオポルド二世——当時この地域は彼の私有植民地「コンゴ自由国」だった——の命のもとに受けた酸鼻を極める非道な扱いの記憶が深く根を張っている。像への攻撃、それは黒人たちの抑圧と被暴力の記憶を闇の奥へ忘却するに任せようとする西欧中心＝白人中心の正統派歴史記述に対する苛烈なプロテストでもあった、といえよう[7]。

ならば、そのようにして奪われたルーツを、自らの手で仮構＝偽造してやることで、白人による黒人の歴史のオミットに抵抗することができるのではないか。ジェフ・ミルズが上記のインタビューの中で言及しているサン・ラーこそは、まさしくそうした戦略を採ったミュージシャンのひとりであった。

未来の神話

本名ハーマン・〝ソニー〟・ブラント、一九一四年生まれ、アメリカのジャズ作曲家、バンド・リーダー、ピアノとシンセサイザー・プレイヤー、等々……。これらは彼の表向きの、仮初《かりそめ》のプロフィールにすぎない。サン・ラー。彼はエジプトの太陽神にちなんで自身をそう呼ぶ。彼は地球出身ではない。彼は土星人である。彼は生まれたのではない。人ではない。

家族はいない。ほぼ五〇年間、サン・ラーは自身の出自とペルソナについてこのような主張をしてきた。彼は他人や現実世界から押し付けられた名前と出自を拒否する。代わりに、彼は自身が創り上げた壮大なドラマトゥルギーの中に自身を配役し直した。すなわち、古代エジプト学、ピュタゴラス派音楽学、グノーシス主義とネオプラトニズム、ブラック・フリーメイスン主義、ブラック・ナショナリズム、神智学、口承および書き伝えられた聖書解釈学、ニュートン以前の物理学、ＳＦ映画、等々のごった煮から生成されたアフロフューチャリスティックな宇宙神話体系の中に。

サン・ラー

サン・ラーは、一九五〇年代中頃に結成した自身のバンドをアーケストラ（Arkestra）と呼んだ。この呼び名は、エジプトの神ラーの方舟（Ra's ark）を暗示していた[8]。彼のアーケストラは、バンドというよりは集団生活を営むコミューンのようでもあった（メンバーは常に変動し、人数は三〇名を超えることもあった）。ミュージシャンがサン・ラーに近づき彼のバンドに参加できるかどうか尋ねると、彼はよく「バンドは自分のものではなく創造主のもので、自分は命令に従っているのだ」と答えた。アーケストラには情緒面の問題や麻薬依存の問題を抱えるメンバーも多く参加していたという。アーケストラのひとりは、「彼は一体何で連れてこられたのか理解できないような連中をバンドに連れてくることもあった」と証言している。それでもサン・ラーは、厳格な規律化によって混沌としたバンドを統制することに成功した（ルールを破ったものは規律により自宅監禁となることもあった）[9]。

ジョン・F・スウェッドによる浩瀚《こうかん》な伝記『サン・ラー伝』の記述に従えば、アーケストラの演奏は、サン・ラーが言うところの「宇宙ドラマ（cosmo drama）」、あるいは「神話的儀式（myth-ritual）」として構成されていた。それは音楽を通して彼の思想を表明し、地球人の意思を変えるための場であった。サン・ラーによれば、黒人たちは歴史から排除された、有史以前のものであり、社会の中に実在し現に生きているものと捉えられていない。よって、彼の宇宙ドラマは神話として、言い換えればアストロ・ブラック・ミソロジー（天体黒人神話学）として構成されなければならない。それは同時に「未来の神話」でもなければならない。神話は過去に関するものとされるが、サン・ラーは我々が何をすべきかを語る神話を提案した。だが、と人は言う。未来は決して明るいものではない。あらゆる人々があらゆる可能なことを試みて、失敗してきたではないか、と。ならば、とサン・ラーは答える。我々は不可能なことをする必要がある。真実（可能なこと）は死と等しい、しかし神話（不可能なこと）は永遠と等しい。サン・ラーにとって、音楽は潜在的可能性、ここは別の場所、別の現実を指す隠喩であり、地球（此岸）と宇宙（彼岸）を交叉させるための暗号に他ならなかった。

　宇宙ドラマのステージパフォーマンスはサンダー・ドラムの音で幕を開け、それから管楽器が加わる。バスクラリネット、アフリカのハープ、荒れ狂うトロンボーン。他のミュージシャンたちが加わり、様々なパーカッションを演奏し、それから他の楽器を手に取り、それぞれが異なるリズムや拍子で即興演奏に加わっていく。全員が揃うと、突然演奏が止み、ダンサーたちとともにサン・ラーが入場、彼の指揮で複雑なグループ即興演奏が繰り広げられていく。「この世界は私の故郷ではない。私の故郷は外にある」というチャントが反復される中、演奏の強度と混沌はクライマックスに達していく。この間、様々なダンス、ライトショーとスライド、アートの展示、映画、さらにはジャグリング、タンブリング、等々がステージ上で進行していく。終わりが近づくと、アーケストラは演奏に合わせて踊りながら会場を出ていく。音が次第に小さくなっていき、ショーの幕が閉じる。ショーの終わらないうちにステージを離れるのは、死んでからではなく、生きているうちに地球を離れることの象徴であるという[10]。

アーケストラが繰り返す黒人霊歌を想起させるチャントは、ライブ会場を宇宙讃歌／聖歌を響かせる教会に変える。「あなたは地球という宇宙船に乗っていて／外に向かっている／星の群れのほうに／行き先は解らない／でもあなたは宇宙船の船長にはまだ会っていないでしょう?」。このチャントは、スウェッドが指摘するように、王イエスを船長とするザイオンの古い船を讃えるバプティストの賛美歌「The Old Ship of Zion」をルーツとしている。[11]

サン・ラーと彼のアーケストラは、コズミックな演奏とパフォーマンスを通して、抑圧と絶望に満ちた地球、この狭量な世界からのイグジット（exit）を高らかに唱えた。さながら旧約聖書のノアの方舟のように、あるいはモーゼのエジプト脱出のように。彼らが目指した先は、地球の外部に遍在する広大な銀河系、宇宙という無限の空間に他ならない。宇宙、それは未知の領野であるのと同時に、そこにいつか帰らなければならない黒人にとっての真の「故郷＝ルーツ」でもあるのだ。

アフロフューチャリズムとPファンク

アフロフューチャリズム（Afrofuturism）というタームがある。これは一九九三年に批評家のマーク・デリーによって提唱された概念で、一言で要約するなら、テクノカルチャーやスペキュラティヴ・フィクション（SF）を通して、アフリカン・ディアスポラが形成した黒人文化と現代あるいは未来におけるテクノロジーの接点を探るために案出された、とさしあたりは言うことができる。[12]

　アフロフューチャリズムにおいて強調されるのは、アフリカン・ディアスポラが民族自決的に行われたのでなく、むしろ異星人《エイリアン》による誘拐にも等しい形で強行されたことの理不尽さと不条理さであり、同時に、連れてこられた新天地での彼らの扱い、文字通りの非‐人間的／非‐現実的な境遇であった。言い換えれば、彼らはどこまでも疎外された者、言うなれば異邦人《エイリアン》として存在させられていた。アフロフューチャリズムにあっては、そうしたアフリカン・ディアスポラの歴史性――あるいは記述不可能な非‐歴史性――を念頭に置きながら、表現者たちは寓話によって自身のルーツを定義し直す、という試みが行われる。たとえば、ヨーロッパよりも早くから文明を持ったアフリカの一部、古代エジプトの神話の参照。太陽神から名前を採ったサン・ラー、古代エジプトの皇帝の称号を自らに冠したファラオ・サンダース、そして、古代エジプト神話をSFコミックと『スター・トレック』の世界観に置き換えることでブラック・ナショナリズムをナンセンス化してみせたPファンク。

　Pファンク。ジョージ・クリントンが一九七〇年代に率いたパーラメントとファンカデリックなる二つのバンド。地球にファンクを蔓延させるために宇宙船マザーシップをアメリカ大陸のゲットーに着陸させた彼らは、ステージ上でオーディエンスたちに乗船を呼びかける。

パーラメントの代表曲「Mothership Connection (Star Child)」は、ピラミッドを奪還するためにやってきた宇宙市民スターチャイルドによる「グルーヴ（＝ダンス）せよ」という語り（アジテーション？）がなされた後、おもむろに曲調が一転して、〝Swing down, sweet chariot／Stop and let me ride／Swing down, sweet chariot／Stop and let me ride〟というコーラスがひたすら反復されるパートに入る。

「静かに揺れよ、愛しいチャリオット／止まって、僕を乗せておくれ」。このコーラスには元ネタが存在する。それは、テネシー州ナッシュビルはフィスク大学において一九世紀後半に結成されたゴスペル・アンサンブル、フィスク・ジュビリー合唱団《シンガーズ》による黒人霊歌「Swing low, sweet chariot」で、引用元の歌詞では〝Swing low, sweet chariot／Coming for to carry me home〟となっている。前半はほぼ同じだが、後半は「迎えに来て、うちへ連れて行っておくれ」となっている。言うまでもなく「うち（home）」は「天国」の意味を暗に含んでいる。また、両方の歌詞にあるチャリオットとは古代の戦争に用いられた戦闘用馬車で、旧約聖書の『列王記』では、預言者エリヤを天に連れて行く火の戦車として登場する。「彼らが進みながら語っていた時、火の車と火の馬があらわれて、ふたりを隔てた。そしてエリヤはつむじ風に乗って天にのぼった。エリシャはこれを見て「わが父よ、わが父よ、イスラエルの戦車よ、その騎兵よ」と叫んだが、再び彼を見なかった」（列下二：一一～一二）。なお、チャリオットはヘブライ語ではメルカバ（מרכבה）ともいい、イスラエル国防軍に同名の戦車が存在している。

話を戻すと、この黒人霊歌はアメリカでは子守唄としても人気がある。静かに揺れる馬車をゆりかごに見立てているわけだが、他方で、元の歌詞では南部奴隷を北部に逃亡させるために結成された秘密組織「地下鉄道（Underground Railroad）」を指す隠喩として「チャリオット」という語が用いられていた、という説もある。[13]

ことほど左様に、「チャリオット」という語には複数の意味が重層的に重ね合わせられているわけだが、パーラメントの曲にあっては、さらにもう一回ツイストを利かせて、宇宙へとイグジットするための宇宙船＝マザーシップに見立てられている、というわけである。もちろんここには、元にあったスピリチュアルな含みを継承させつつも、自分たちが行き着くべき目的地＝故郷（home）を「天国」から「宇宙」へ、その位相を巧妙にズラすことで、未来とテクノロジーに軸足を置いたブラック・サイエンス・フィクションへと昇華させようという明確な意志が存在している。

パーラメントによるSF黒人霊歌「Mothership Connection（Star Child）」のスピリットは、のちの世代になるとヒップホップに継承（サンプリング）されていく。たとえばウエストコーストを代表するラッパー／プロデューサーのひとり、ドクター・ドレーは「Let Me

Ride」のなかで「Mothership Connection (Star Child)」を引用し、さらにマザーシップを当時のアメリカ西海岸におけるチカーノカルチャーを象徴するローライダー(中古の大型アメリカ車に改造を施したカスタム車で、「Let Me Ride」のMVではさながら重力に抗うかのように車体を上下にバウンス=ホッピングさせている様子を見ることができる)に見立てることで、チャリオットを巡る終わりなきアナロジーの変遷に新たな一ページを付け加えることとなるのだ。

抑圧されたものの回帰

以上に見てきたように、アフロフューチャリズムによる己のルーツの改変は、単なるフィクションや神話による過去の否定にとどまらない、もっと切実なアクチュアリティを秘めたものとしてある。

そしてこうしたアクチュアリティは、近代的な時間構造を転倒させ、解体させる特異な時間性をしばしばアフロフューチャリズムにもたらすことになる。たとえば、リッチモンドを拠点に活動するアーティスト、チーノ・アモービはインタビューのなかで、ドレクシアに言及しながら、アフロフューチャリズムの特異な時間性について触れている。ドレクシアはデトロイト・テクノを代表するデュオ・ユニットで、自己の来歴を語る上で独自の神話を創設したことでも知られる。それによれば、一六〜一八世紀、黒い大西洋《ブラック・アトランティック》を航海する奴隷船から海に落とされた病人や狂人たちは、海底で生物ドレクシアンズとして独自の進化を遂げた。自分たちはそのドレクシアンズの末裔なのだという。ドレクシアンズは水中での呼吸を覚え（子宮の胎児のように）、海底の生活に順応し、そこで地上と異なった文明を築き上げている。ドレクシアのアルバム『The Quest』では、ドレクシアンズがミシシッピ川から現在のアメリカ各地に上陸し、ミシガンの湖を拠点にデトロイトから世界に飛び立っていく歴史が地図を示しながら語られる。[14]アモービは次のように述べる。

ドレクシアには神話的な要素があって、それによって過去が現在に舞い戻ってくる。海は抑圧との関係で表現されることもあれば、何か人間が忘れているものがやってくる場所としても描かれてきた。アイデンティティの観念が流動的に変化していく場所でもある。あるいは海そのものが増幅していくアイデンティティのようなものだ。[15]

抑圧されたものの回帰。白人による正統な歴史が往々にして隠蔽し、忘却し去ろうとしてきたものが、現在の只中に闖入してくる。さながら亡霊のように。

この点については、アフロフューチャリズムの理論家コドゥウォ・エシュンを引きながら、高橋勇人が次のように簡潔にまとめている。

エシュンによれば、ドレクシアの諸作では奴隷制度という過去のトラウマが過去で終わっているのではなく、テクノロジーによる未来像を伴い生成変化しながら、過去と現在の時間観が混同した昨日現在（Yesternow）へやってくる。つまり、未来像を通して我々は現在に到来する過去と対峙することになる。黒い大西洋の海底から近代のシステムをハッキングしていくようなプロセスがここに滲みでているのだ。[16]

過去へとフィードフォワードする未来——。過去・現在・未来という単線的《クロノロジカル》な時間軸は渦を巻くように混濁してゆき、抑圧され消去された過去の幾多のトラウマが、未来を伴いながら（未来の神話として）現在の「いま・ここ」に、亡霊のように侵入＝回帰してくるのだ。

2

未来は黒い

リー・ペリー

私たちは過去を失いはしましたが、過去は長い振幅のあとに私たちに戻りつつあります。私たちは、過去を私たちの未来として、失われたすべてが戻ってくるであろう未来として利用できるでしょう。

――フィリップ・K・ディック「この世界が悪いとわかれば、他の世界を見るべきだ」[1]

月、星、太陽、世界、地球、宇宙、赤道、銀河、すべてが俺の目だ。俺が大地にくちづけすると、雷鳴が轟く。これは真実で、真実以外の何ものでもない。だから俺や、生きる神を助けてくれ。

――リー・〝スクラッチ〟・ペリー[2]

アフリカの時間概念

アフリカ人の伝統観念には「未来」が存在しないという。

ケニアはカムバ族の農村で生まれ育ち、のちにケンブリッジで博士号を取得した宗教哲学者ジョン・S・ムビティによれば、伝統に生きるアフリカ人にとって時間は、すでに起こったこと、いま起こりつつあること、まさに起ころうとすること、といった具合に生起するという。

もっとも注目に価するのは、時間が長い過去と現在という二領域に分けられ、事実上未来が存在しないことである。ヨーロッパ人の時間観念はあいまい模糊とした過去、現在、無限の未来から成る直線的なものだが、アフリカ人になじみのない考え方である。未来の事柄はまだ起こっていないから、認識の対象になり得ない。それゆえ時間の構成要素に数えられないのである。未来は時間として存在しない。確実に起こると判っているか、自然のリズムに乗った事柄は可能性を備えた時間に入れられるが、現実の時間とは区別される。現に起こっている事柄も、ひとたび起こってしまえばもはや現在から過去へ所属を変える。現実の時間とは現在と過去なのである。それは前進せず後退するので、人々は未来を思わず、現に起こった事柄を考える。[3]

ムビティは、カムバ語とキクユ語の動詞時制を分析しながら、現在時からの延長としての短い未来から近い過去までを含めた「現在」時と、その範囲から逸脱した無窮の過去とを区別している。前者をササ、後者をザマニと呼ぶ。ササ、すなわち「現在」時は人間が存在する「場」であり「時間」なので、人々の関心が集中する。未来は、間もなく起こり、今まさに経験しようとする確かな出来事だけがササに含まれ、遠い未来、具体的には二年以上先の出来事は、考えることも言い表すことも不可能であるとされる。よって、そのような遠い「未来」を表現する時制は存在しない。一方、ザマニはササに含まれることなく、むしろササを支え、ササの存立条件となるような、歴史以前であると同時に歴史を成り立たせている神話の時間である。それは無窮の過去として把握されるが、かといって英語の過去時制に限定される時間ではない。ザマニもまたそれ固有の「過去」「現在」そして「未来」を持つとされる。[4] ザマニは時間を外側から支える根拠としての超越論的時間であるといえよう。「ザマニは時間の終末、墓場、万物が停止を余儀なくされる時間の領域である。あらゆるものを溶かし吸収する大洋、万物の貯蔵庫がザマニなのである」[5]。

アフリカの伝統的観念においては、時間はキリスト教的な近代ヨーロッパにおいてのそれのように、「過去」から「現在」そして「未来」といったように直線的に進んでいくものではない。アフリカ人の歴史は世界の終末へも、未来への栄光に向かっても進んではいかない。それは「進歩」の観念と真っ向から対立する。近代西洋と異なり、アフリカ人の時間は現在＝ササから無窮の過去＝ザマニへと遡っていく。時間は過去へ過去へと押し流されていき、そして時間の貯蔵庫としてのザマニに堆積していく。ザマニ、それは不断に過去が蓄積され古層を形成し続ける記憶のアーカイヴに他ならない。

歴史も歴史以前の時代も神話に支配されている。アフリカには宇宙の創造、原初の人間、人間世界からの神の隠退、種族の起源と現在地への来住などを解き明かす神話が無数に語られている。ササを支え、説明し、理解させるのはザマニであるから、人々の注意はたえずザマニに引きつけられる。世界の創造、死の由来、種族固有の言語と慣習、智慧の起源もザマニに求められなければならない。「黄金時代」はザマニにあり、けっして未来には見出されない[6]。

ザマニは神話の時間であると同時に、霊たちの時間でもある。人は死ぬと、ササからザマニへとゆっくり移行していく。この世を去ったばかりの者は、生活を共にした肉親や友人の記憶に繋ぎ止められている限りで、なおササの領域にとどまっている。実際、死者が残された家族や知己であった者の前に姿を現すことは珍しいことではない。アフリカでは、死者と生者が同じ空間に住まう。故人が思い起こされる限り死者は本当の意味で死んだとはみなされない。彼らは生ける死者（リビングデッド）として、人々の記憶の中に生き続ける。記憶が保たれるあいだ、生ける死者は「個人の不死性」を失わないとされる。しかし、彼の記憶を持つ知己の最後のひとりが死んだとき、それまで記憶されていた死者もササの境界を越え、ザマニの領域に入る。死のプロセスはこの時点で完結する。生ける死者は「個人の不死性」の代わりに「集団の不死性」の領域に入る。死者は家族との紐帯を絶たれ、具体的／個人的なパーソナリティから離脱した、事実と虚構が入り混じった神話的なパーソナリティを与えられる。[7]

近代の変化はアフリカに、それまで存在していなかった「未来」という次元を暴力的にもたらした。キリスト教宣教師の説教、西洋式教育、近代工業／産業の侵入によって、アフリカ人は「未来」を発見した。だが、この近代西洋に根ざす合理化と経済競争の時間意識の浸透は、同時に神話的な共同体意識を支えるザマニの解体をも意味していた。ザマニは土地＝空間と密接な繋がりを持つ時間観念である。ザマニが失われれば、人々は土地から遊離し、祖先との紐帯は解かれ、自身の存在の根《ルーツ》を失う。近代合理主義のヘゲモニーとそれに伴うザマニの解体は、死者たちの霊に満ちた空間を祓《はら》い、生者を孤立させる。「アフリカ人の土地との結びつきは緊密だが、土地こそササとザマニをはっきり表示するからである。土地は神秘な仕方で土地と死者を結び、人間生活の基盤を提供する」[8]。

　言うまでもなく、このザマニの解体は、奴隷として自分たちの土地から強制的に移住させられたアフリカ人にとりわけ暴力的に作用した。自身のルーツを奪われ、根無し草《デラシネ》として世界から切り離された漂泊の人々は、実存的な危機のもとで、その代償として「未来」を与えられた。それはトラウマ的なショックを伴う処置であった。キリスト教における未来志向的な期待、すなわち天国と救世主《メシア》到来の希望、そして千年王国説が、彼らに新たな神話を創設させた。

　ムビティは、アフリカの伝統観念においては「未来」はきわめて短い射程しか持ち得ないがために、「未来」の発見はしばしば宗教面で激しい救世主待望の運動を引き起こした、と指摘する[9]。喪われた過去＝神話の代償としての未来＝救世主。それは、西洋のキリスト教と異なり、きわめて具体的かつ抜き差しならない様相を呈することもあった。もちろん私たちは、前節で見てきたアフロフューチャリズムにおける未来の神話にその一端を見て取ることもできるだろう（たとえば、自らを土星からの使者と称したサン・ラー）。だがここではまた少し視点を変えて、アフリカ大陸から砕かれた破片のひとつ、ジャマイカのアフロフューチャリズムを体現するアーティスト、リー・ペリーにスポットを当ててみたい。

レゲエとラスタファリアニズム

俺はアーティストであると同時に、ミュージシャン、マジシャン、作家、シンガーでもある。俺はすべてなんだ。名前の「リー」は、もともと西アフリカのジャングルからきている。出身地は別の所だが、俺はアフリカで生まれ、輪廻を繰り返してジャマイカに転生した。スーパーマンは自分の生まれた所に愛想をつかして地球に来た。でも俺はいろんな出来事から学んでいるから、自分の生まれた所が嫌になったりはしない。人が欲しいものを手に入れられずにイライラしている時こそ、音楽が雨とともに降り注いで傷ついた心を癒やしたり、道を見失った人の導きになる。俺はその音楽を作るためにプログラムされているんだ。輪廻転生をする者は、この世で何かを学ぶためにまた生を受ける。お前は宇宙人を知ってるか？　俺は宇宙人なんだ。わかったか？　わかったか！[10]

二〇二一年八月二九日に八五歳でこの世を去ったリー・〝スクラッチ〟・ペリーもまた、自身の出生《ルーツ》を神話と韜晦《とうかい》のベールに包もうとした。ブラック・ディアスポラの子孫たち――生まれながらの亡命者にとって、ルーツはいわばこの世に生まれ落ちたときからすでに失われている。木星から来た。空で生まれた。アフリカで生まれ、ジャマイカに転生した、等々。彼も自身の失われたルーツを繰り返し仮構し、新たに創出しようと試みた。

少なくとも伝記の類によれば、彼は一九三六年頃、ジャマイカのケンダルに生まれたことになっている。首都キングストンから遠く離れた地方農家の生活は貧しく、住民の戸籍管理が行き届いていないこともあり、ペリーの出生や幼少期に関する確かな情報はほとんど残されていない。十代の頃から移動と放浪を繰り返し（目に見えない精霊の力に突き動かされた、と本人は語っている）[11]、創造への渇望と精霊の声に導かれて、六〇年代初頭にキングストンへ行き着き、そこでシンガーとしてデビュー。徐々に頭角を現し、やがて「レゲエ界のサルヴァドール・ダリ」と称される鬼才の地位にまで登りつめる。

レゲエ。アメリカから持ち込まれたソウルやR&Bと一九世紀にルーツを持つカリブ諸国の音楽スタイル――メント、カリプソ、サルサ――のミクスチャであるスカやロックステディから発展して生まれたジャマイカ独自のポピュラー音楽。この音楽の誕生には、サウンド

リー・ペリー　©Getty Images

・システムという特異な装置《テクノロジー》が大きく関わっている。それは一言でいえば、巨大なラウドスピーカーとアンプを搭載した、轟音を響かせる移動式のモバイル音響セットであり、屋外でレコードをプレイし、パーティーをするために作られたものだった。都市部のダウンタウンに住む所得の低い層にとって、個人が趣味のためにレコードに貯蓄を注ぎ込むことは難しく、代わりに大勢で音楽とダンスを共有するサウンド・システムが発展した。同時に、戦後のジャマイカでは、都会化に合わせて洗練された音楽が求められるようになり、それがアメリカ音楽の受容をもたらした。そこには、アメリカに住む多くのジャマイカ移民から故郷に大量のレコードが送られてきたという背景に加え、ジャマイカはアメリカ本土に近いため、マイアミのＷＩＮＺ、ナッシュヴィルのＷＬＡＣ、ニューオーリンズのＷＮＯＥといったラジオ放送の電波が海を越えて受信できたという環境も大きく作用していた。スカ、ロックステディ、そしてレゲエも、すべて輸入音楽をジャマイカという地で解釈し直したところから生まれた[12]。

レゲエとサウンド・システムは、一九六二年におけるイギリス統治からの独立以降の政治的動乱と反逆の精神を反映していた。とりわけ、苛烈な西欧批判を伴うジャマイカ土着の宗教的思想運動であるラスタファリアニズムは、レゲエのサウンドに政治的反抗のアティチュードを吹き込む上で欠くことのできない役割を果たした。

筆者は先ほど、アフリカにおける「未来」の発見は、ときに具体的かつ抜き差しならない救世主待望の運動を引き起こした、と述べた。私たちは、そのジャマイカにおける典型例をラスタファリアニズムに見て取ることができる。一九三〇年代に発祥したとされるこの霊性運動は、都市部の労働者階級と地方農民を中心に、ジャマイカ社会の過激派ムーヴメントを連綿と支えてきた。その信仰は、黒人民族主義の指導者かつ革命家であるマーカス・ガーベイによる旧約聖書の叙事詩的読解に拠っている。ガーベイは、旧約聖書の記述を黒人の暗号化された歴史であるとみなし、「エチオピアは我ら祖先の地」であると語り、「エチオピアの神」への信仰を表した。一九二七年のスピーチでは、「見よ、アフリカを。黒い王の誕生を。その王は救世主となるだろう」と預言したとされる。彼を預言者とみなす信奉者（ラスタ）たちは、一九三〇年にラス・タファリ・マコンネンが戴冠しエチオピア皇帝、ハイレ・セラシエ一世になったとき、預言の実現を幻視した。ガーベイ以降の運動指導者は、「神は黒かった」「ジャマイカ黒人の真の住処はアフリカである」と説き、邪悪なバビロンである西欧文明からの離脱と、天国に見立てられたアフリカの桃源郷《ザイオン》への帰還を人々に訴えている。[13] ラスタファリアニズムは六〇年代後半を境にレゲエの歌詞が好んで採り上げるテーマとなり、それを媒介として階級を超えて波及していった。七〇年代には、レゲエは階級を問わず社会一般に受け入れられる国民的音楽としての地位を確かなものとしつつあった。

一方、一九六八年に「ピープル・ファニー・ボーイ」をリリースしてレゲエ史におけるマイルストーンを打ち立てたリー・ペリーは、その後インディペンデント・プロデューサーに転身、さらに七〇年代に入ると、キング・タビーらとともに、サウンド・エンジニアとしての才能を発揮するようになる。

レゲエ・シーンには、サウンド・システムに加えて、ダブ・プレートと呼ばれる重要なファクターが存在する。当時のジャマイカでは、サウンド・システムは地域ごとに根付いており、他のサウンド・システムとの苛烈な競争（ときには銃撃戦に発展することもあった）がシーンの活性化と更新に寄与していた。それぞれのサウンド・システムはライバルを蹴落とすためのイノベーションにしのぎを削った。たとえば、レコードのビートに合わせて即興でヴォーカル（トースティング）を乗せるディージェイの誕生。彼らは即興のマイク・パフォーマンスでオーディエンスを盛り上げる役を担い、これはのちのヒップホップにも影響を与えていく（実際、ヒップホップのオリジネーターのひとり、クール・ハークはジャマイカ移民であった）。その際、ディージェイがトークを乗せやすくするために、独自のインストゥルメンタル・ヴァージョンのレコードが作られた。元のレコードにあったシンガーのヴォーカルを、エフェクターによって取り除くのだ。シンガーの歌声は深いリヴァーブのなかに消え、しかしその声は、かすかに引き伸ばされた残響のように遠くから、亡霊の如く漂い続ける。

このようにして作られたインストゥルメンタル・ヴァージョンのトラックをベースに、新たな要素――ディージェイのヴォーカル、別の楽器によるメロディ・ラインなど――を加えて再レコーディングすれば、別の曲が生まれる。こうして一枚のレコードから、新たな一〇〇枚のレコード（ダブ・プレート）が生まれる。これをヴァージョニングと呼び、音源に対するこの前例のないアプローチが、やがてリミックス・カルチャーとして全世界に影響を及ぼしていく[14]。

ジャマイカにおいて、レコードはさながら完成形を知らない、生成変化の終わりなきプロセスとなった。ヴァージョニングの手法はダブによってさらに過激化し、曲は骨組みになるまでバラバラに解体され、ダブ・エンジニアの職人技によって新しい曲に作り変えられていった。ベースラインを床が振動するほど太く強調し、ドラムのみを残して歌全体を切り落とした後にそのカッティングされた断片を空間的エフェクト（リヴァーブ）とともにちりばめ、リズムセクションをループさせて引き伸ばす。リー・ペリーは、銃の発射音やガラスの割れる音のサンプリングを、サウンドエフェクトとして初めて用いた。[15] フランスのミュジーク・コンクレート（具体音楽）とイタリア未来派の騒音芸術の遺伝子が、レゲエの内部で黒光りする統合を果たした。

ここに至って、それまで裏方仕事としかみなされていなかったエンジニアが突如そのプレゼンスを高めることとなった。今やエンジニアのレコーディング・スタジオは、偉大な創造のための母体的空間《マトリックス》となったのだ。

科学と魔術

一九七三年、その頃すでに自身のスタジオ・バンド「アップセッターズ」を結成し、ウェイラーズやダブ・エンジニア界のグル、キング・タビーとの共同作業を経て、インディペンデント・プロデューサー／エンジニアとしての確実な地位を築いていたリー・ペリーは、キングストン郊外にある自宅の裏庭に自らのスタジオを建設した。七〇年代、西キングストンのガリー（ゲットー）とは対極にある洒落た住宅地であるワシントン・ガーデンズ、カーディフ・クレセントに存在したそのスタジオの内部は常に暗く、太陽の光は遮断され、ペリーは一日中その中に閉じこもり作業に没頭した。彼はその胎内のようなスタジオ＝コントロール・ルームをブラック・アーク（Black Ark）、黒い箱舟と名付けた。[16]

ジャマイカにおいて、「サイエンス」という語は、「科学」と「黒魔術」という二つの対極的な意味を併せ持つといわれる。外部から遮断された黒い方舟という実験室の中で、西洋科学のレコーディング・テクノロジーと、アフロ・ジャマイカの異端キリスト教ポコマニア、そしてネオ・アフリカの黒魔術オーベアが交叉した。ペリーは「生きたアフリカの鼓動」と呼ぶものを録音するために、コンソールから近くの椰子の木にスタジオ・マイクを繋げた。霊性を高めるために呪具や偶像で機材を〝祝福〟し、ラスタが崇めるガンジャ（大麻）――THC（テトラヒドロカンナビノール）に宿る女神――の煙をテープに吹きかけた。[17] オーベアとはアフリカの精霊崇拝の伝統をルーツとする黒魔術の一種で、敵にダメージを与えたり、敵のシャーマンから自分を守るための手段としてカリブ海域では広く信じられている「サイエンス」である。初期のアップセット・レーベルでは、オーベアを表す血の滴るナタの図像がレコードに印字されていた。[18]

ファウスト的テクノロジーのもとでサイエンスとマジックはひとつに統合される。とはいえ、もともと自然界の目に見えないプロセスを把握する科学理論は、魔術と同じような神秘的かつスピリチュアルな側面を備えているとされた。たとえば、哲学者／科学史家の下村寅太郎は、かつて「近代の超克」座談会のなかで、近代科学における「実験」の魔術的な性格について次のように発言していた。

> 魔術といふものは自然的に存在しないものを現出せしめることを意図して居るもので、これが実験的方法の精神に連なるといふのは、実験といふのは自然を単にありのままに、純粋に客観的に観察することではなくて、自然に存在しないものを、人間の手を加へて実現させて見る。自然をそれの存在性に於て見るのではなく、それの可能性に於て見る。自然の内部を外化せしめて見る、さういふものが実験的方法の根本的精神であると思ひます。このやうな意味での実験的方法とマジックの精神が相結びついたと思ふのです。[19]

科学的精神は、物質的世界に対する能動的な変換とコントロールを意志しているという点で、魔術的精神と通ずるものを持つ。それは、ロマン主義的なドイツ・ナショナリズムを近代テクノロジーと和解させることを目指した、ワイマール共和国期における反動的モダニストたちや、テクノロジーにおける魔術的な力を「カットアップ」として文学の領域に転用してみせたウィリアム・バロウズらにも共通して見られた精神であり、その意味ではペリーの魔術的実験精神を単なる奇才＝マッド・サイエンティスト特有の酔狂と捉える解釈は早計の誹りを免れがたいだろう。

ラボラトリーとコックピット

当然（！）、ペリーにとって、ブラック・アークのコントロール・ルームは、実験室《ラボ》であると同時に宇宙船《スターシップ》のコックピットでもあった。彼は後年、次のような謎めいた発言を残している。

未来。俺は、イエス・キリストは黒人で、神も黒人だと思ってる。だから教皇も司教も間違ってたんだ。イエス・キリストは白人じゃなかった。俺はすべての政治家、すべての政府の未来を黒くする。ブラック・アークで黒くする。スーパー・マン、スーパー・エイプとして未来を黒くする。［……］奴らがまた宇宙船を見つけたら、それがノアの箱舟だとわかるだろう。［……］だから俺は、黒い箱舟（ブラック・アーク）とここにいるんだ。ゲームは黒い。俺の後には開かない。リー・スクラッチ・ペリーは神の宇宙船に乗っている。[20]

『Badda Dan Dem』

宇宙船のコックピットと科学者＝エンジニアのラボラトリー。これら一見異質に思われる二つの空間が混在したまま一致するというペリーにおけるブラック・サイエンス・フィクション的想像力は、その後のダブ・エンジニアの想像力をもタトゥーのように規定し続けている。たとえば、ローン・レンジャーが一九八二年にリリースしたレゲエ・ダブ・アルバム『Badda Dan Dem』のジャケット・デザイン。そこでは、SFコミック風の宇宙船内部にミキシング・デスクとコンソールが置かれ、アフリカ系のサウンド・エンジニアがその前に座って機材を操作＝操縦している姿が描かれている。このジャケットは、ホープトン・ブラウンことサイエンティストのSF風ジャケットを主に手掛けていたイラストレーター、ジャマール・ピートの手によるものであるが、彼のイラストレーションは、Pファンクの数々のSF的アルバム・ジャケットを描いたイラストレーター、ペドロ・ベルのそれに非常に近しいものであるのは果たして偶然かそれとも明確な影響関係があるのか、筆者は寡聞にして知らない。いずれにせよ、この『Badda Dan Dem』のジャケットに描かれた宇宙船のイメージには、ブラック・アークという黒い宇宙船のイメージが遠く木霊のように反響している。

　前節で私たちは、アフロフューチャリズムに見られる宇宙船＝マザーシップ表象の一例として、パーラメントの「Mothership Connection（Star Child）」を俎上に載せてみた。奇しくも、ブラック・アークの誕生と「Mothership Connection（Star Child）」のリリースはほぼ同時期の出来事（一九七三〜一九七五年）である（ちなみにアポロ11号の月面着陸は一九六九年）。黒い大西洋《ブラック・アトランティック》をグローバルに通底する宇宙船と宇宙への志向性は、その後のヒップホップへと受け継がれていく。一九九二年、前述のように西海岸ヒップホップの最重要人物ドクター・ドレーは、「Let Me Ride」のなかで「Mothership Connection（Star Child）」を引用《サンプリング》し、さらに宇宙船を彼らにとってのイコンであるローライダーに見立てることで記号の再文脈化を施したのだった。

　念のために改めて説明を加えておけば、ローライダーとは一九四〇〜五〇年代におけるカリフォルニアのチカーノ（メキシコ系アメリカ人）コミュニティに端を発するカスタム・カーとそれを取り巻くカルチャーを指す。移民である低所得層チカーノたちが、新車を購入する代わりにアメリカン・クラシックの中古車を買い、見栄えをよくするために改造《カスタム》したのが始まりだった。派手なカスタムペイント。ローライダーという名称の由来でもある、極限まで低くした車高。ハイドロと呼ばれる油圧ポンプ及びシリンダーを駆使した、車体を跳ね上げさせるような動作（ホッピング）、等々。重力に逆らうかのようにバウンスするローライダーの姿は、さながら上空へと飛び立とうとする宇宙船のようでもあり……。

宇宙とザマニ

一九七九年以降、ペリーの精神は徐々に失調していった。「狂気の」科学者という役割《ペルソナ》をまっとうしようとするが如く、スタジオ全体をペイントし始め、地面に掘った穴にドラムキットを放り込み、続いて小さな十字架等を含むすべての物をペンキとマジックで塗りつぶしていった。やがて建物と機材は荒廃し、遂には一九八三年のスタジオ火災という黙示録的カタストロフによって、黒い箱舟はまさしくその神話的な終末を遂げたのだった。[21]

未来は過去を伴いながら回帰する。未来は黒い。なぜペリーは、彼らは、この世界に背を向け、宇宙船のコックピットへと乗り込んでいくのか。なぜ彼らは宇宙を、あの漆黒の空間を目指したのか。失われた無窮の過去、ザマニの時間、名もなき亡霊たちが住まうその領域が、他ならぬ宇宙にならば見つかると、そう信じていたのだろうか。

たとえばブラックホール。理論物理学者のレオナルド・サスキンドは、ブラックホールを

「自然界でもっとも高密度に凝縮された情報記憶装置」と定義している。[22] ブラックホールに吸い込まれた物体の情報は、消滅することなくブラックホールの中に蓄積される。光すらも脱出できない究極の黒体《ブラックネス》、その境界面はビットの情報に覆われている。情報を一ビット加えるたびに、事象の地平面＝境界の表面積は一プランク単位分ずつ増加する。情報は面積と等しい。すなわち、ブラックホールの境界面には、情報とエントロピーがそれ以上圧縮不可能な密度で保存されているのだ。[23] この、宇宙の過去・現在・未来を記憶した巨大アーカイヴは、ブラックホールが高エネルギー粒子の最後の爆発のなかで消滅する一〇の六八乗年後の未来まで情報を保存し続ける。

あるいは、超ひも理論から派生したホログラフィー原理。それによれば、私たちが認識しているこの三次元空間は、ホログラムのように立体的に投影された亡霊のようなものにすぎないという。この原理を導く法則、それは「空間の領域の内部にある一切のものは、その領域の境界面の情報だけで表せる」。これは言い換えれば、ある領域にできるだけ情報を詰め込もうとするとき、その理論的な限界値は、領域の体積ではなく領域の表面積に比例するということである。三次元の領域に詰め込む情報の限界値は、その領域を包み込む二次元の表面によって決まる（この限界値は「ホログラフィック限界」と呼ばれている）。すなわち、この宇宙に存在するすべての情報は、遠く離れた宇宙の境界面、その二次元平面上にプランクスケールのビットで正確にコード化されており、この宇宙内部に存在する遍し事物や空間は、その二次元平面から投影されることで生成される。[24]

宇宙の無限大の果て、その漆黒の境界面こそがザマニの次元に他ならない、とすればどうだろう。無窮の過去から未来までのすべてが記憶＝保存され、そしてすべてがそこから発せられる、事象の地平＝根源。宇宙を目指す黒い箱舟《ブラック・アーク》は、失われたザマニを取り戻すためにそこへ赴く。

俺達が死んだ時、もし罪に溺れてなければ、天使や別の体を持って、赤ん坊のように生まれ変われる可能性がある。もし不正にまみれてなければ、魂が犯されるまで天使のように生まれ変わるチャンスがある。そしてまた人になる。［……］どんな音楽も人を癒せるわけじゃない。唯一神の音楽だけが人を癒やすことが出来る。でも俺の音楽は宇宙のバイブレーションだ。ここで生まれているものじゃない。神に不可能はない。だから俺は永遠に踊り続けていたいんだ。[25]

Rest in peace.

3

変性＝変声するヒューマニティ

サイボーグ化の夢

革命家は知っている。逃走は革命的で、引きこもりや気まぐれさえも、テーブルクロスを引っ張って、システムの一端を逃げ出させるのなら革命的である。ジョン・ブラウンのやり方で、みずから黒人にならざるをえないことがあるとしても、壁を通り抜けること。

——ジル・ドゥルーズ、フェリックス・ガタリ『アンチ・オイディプス』[1]

電化したマイルス

リー・ペリーがブラック・アークという名のスタジオ＝ラボの内部で黒魔術的な実験を繰り返していた頃、アメリカでもひとりのジャズ・ミュージシャンがスタジオに引きこもり、それまでのジャズ史を一新するような作品を構築しようと試行錯誤を重ねていた。そのミュージシャンの名はマイルス・デイヴィス。一九六八年、自身のバンドに初めてエレクトリック・ピアノとエレクトリック・ギターを導入したスタジオ・アルバム『マイルス・イン・ザ・スカイ』をリリースしたのを皮切りに、マイルスはマシニックなものへの衝動《オブセッション》をさらけ出していく。いわゆる電化《エレクトリック》マイルスと呼ばれることとなる、七〇年代における「電化、磁化、ロック化、ファンク化」の季節の、これがその始まりである。

それまでの、五〇年代におけるスタジオ・テクノロジーは、ミステイクを録り直したり、別の日のパート録音を持ち越すためのオーヴァーダビング技術といった、主に消極策として存在しており、音楽のあり方そのものを変えてしまうほどのポテンシャリティはまだ見出さ

マイルス・デイヴィス　©Getty Images

れてはいなかった。しかし、六〇年代後半以降、テープという録音メディアの発展と浸透を経て、スタジオでのプロダクション・ワークによる、ステージ上で演奏される一回性の音楽をそのままパッケージングしたものとは異なる、新しい形の音楽作品の制作が可能となったのである。菊地成孔と大谷能生は共著『M／D――マイルス・デューイ・デイヴィスⅢ世研究』の中で、テープの編集や、テープ操作による各種音効など「音を直接編集できる状態にする」初期の磁気録音作業に始まる、「音楽を録音物に還元し、直接それに加工を加える」という制作概念の総称として「磁化＝マグネティファイ」を提唱し、それを七〇年代マイルスの音楽性に当てはめている。菊地と大谷は、電化と磁化というファクターに、この時期におけるマイルスの真骨頂を見て取る。[2]

当時、先に見たジャマイカにおけるダブ・ミュージックを除いては、音楽に対するこうしたアプローチはまだほとんど現れていなかった。そんなマイルスの磁化に触れる上で欠かせないのはテオ・マセロの存在だ。テオ・マセロはコロンビア・レコードのプロデューサーとして様々なアーティストのために作曲やアレンジを手掛けたが、スタジオ・エンジニアとしてマイルスと組んで以降、彼の（というよりマイルス＋テオの）創造性は一気に開花する。テオは、ジャマイカのダブというよりは映画におけるジャンプカットや現代音楽におけるミュージーク・コンクレートの系譜を思わせる切断的なテープ編集とオーヴァーダビングというテクノロジーによって、バロウズのカットアップを想起させる魔術性をマイルスのサウンドに付加した（この実験的手法が極点にまで達したのが一九七二年のアルバム『オン・ザ・コーナー』であろう）。

マイルスにとって、音楽の「電化」と「磁化」は、同時に自身のサイボーグ化の過程とも並行していた。それはマイルスの身体的状態そのものにも由来している。最悪化するまで放置された持病により、マイルスは毎年どこかを手術するような状態に追い込まれる。[3] たとえば、マイルスの自叙伝には次のような記述がある。

一九六五年の四月に尻の手術をして、尻の関節に向こう臑《ずね》から取った骨を移植した。だが経過は悪くて、八月にプラスチックの関節に付け替える再手術をしなけりゃならなかった。バンドのメンバー達は、もう十分に有名だったから、オレがワッツでの暴動をテレビで見たりしながら休んでいる時も仕事には困らなかった。[4]

マイルスはこの手術により、アメリカで最初にプラスチック製の人工関節を移植した人物となったという。菊地と大谷は、この腰の手術が自己像の変化にとって決定的であったと指摘し、マイルスのサイボーグ化の端緒としている。[5]

マイルスをさらなるサイボーグ化へと推し進める転機となったのは、彼がリスペクトしてやまなかったギタリスト、ジミ・ヘンドリックスの死であろう。ジミ・ヘンドリックスは一九七〇年の九月、二七歳という若さで突如としてこの世を去る。バルビツール酸系睡眠薬の過剰摂取《オーバードーズ》とアルコールによる、睡眠中の吐瀉物での窒息という悲惨な死に様であった。

ジミの死はマイルスに多大なショックを与えた。「このジミの死以来、マイルスはアフロヘアになり、服はいっそう派手になり、トランペットをワウペダルやエコー・マシンに繋ぐという、電化における最後の領域である「自身のヴォイスのエレクトリック化」に踏み出すことで、音量は爆音化し、フレーズはラウド／シャウト化する」[6]。

それはさながらジミの亡霊を自身に取り憑かせる試みのようでもあった。「この頃にはオレもワウ・ワウを使うようになった。ジミがギターでワウ・ワウを使っていた時のボイスに近づきたかったからだ」[7]。マイルスは電気《エレクトリック》と媒体《メディウム》を介して自身の声《ヴォイス》を変性させることで、自らを霊媒としてジミの霊とコネクトし、同期《シンクロナイズ》しようとした。

こうしてマイルスは自身のサイボーグ化を完成させたわけだが、それでも彼はこの現実に、この地上にあくまで留まろうとした。たとえば、六〇年代初頭にマイルスのもとを去ったジョン・コルトレーンが、（最晩年に）スピリチュアル化の傾向を強め、次第に宇宙との一体化を目指していった（コルトレーンにはその名も「マーズ（火星）」という曲がある）のとは対照的ですらある。さしずめ、コルトレーンに垂直方向（宇宙）への志向性があったとすれば、マイルスのそれは水平方向、すなわち自身の身体を他なるものへと変容／生成変化させることで、この地上に一本の「逃走線」を引こうと試みた、と言えるのではないか。

ペンタゴンのヴォコーダー

声の変性＝人工音声に魅せられたのは、なにもマイルスだけではない。現に、ヴォコーダーやトークボックスなどの変声装置は数多くの黒人ミュージシャンたちを惹きつけてきた。アフリカ・バンバータから、ハービー・ハンコック、ロジャー・トラウトマン、ホアン・アトキンス、そして異能の武装ゴシック・フューチャリスト、RAMM：ΣLL：ZΣΣ（ラメルジー）まで……。サイボーグ・ヴォイスの浸透は、エレクトロ・ファンク、デトロイト・テクノ、イタロ・ディスコ、ブギー、LAエレクトロ・ヒップホップ、等々、今や広範なジャンルにわたっている。

だが、変声装置ヴォコーダーが、第二次世界大戦中、通信内容を秘匿するための暗号装置としてペンタゴン（アメリカ国防総省）によって用いられていた、という歴史はあまり知られていない。以下、ヴォコーダー／トークボックスを巡る秘史について、デイヴ・トンプキンズ著『エレクトロ・ヴォイス――変声楽器ヴォコーダー／トークボックスの文化史』を参照しながら見ていきたい。

ヴォコーダーのプロトタイプは一九二八年にベル研究所によって発明された。高さ二メートルを超える、一室を埋めるほどの巨大なその暗号機械は、人間の声をその構成波長に分割し、一〇のチャンネルに振り分け、バンドパス・フィルタを通して送信する。受信者はこの情報を、人間の音声を電気的に模倣した声――スペクトル情報へと合成する。[8]

一九四一年九月三〇日、アメリカ陸軍参謀総長ジョージ・マーシャルは、軍の「コミュニケーション問題」について協力を要請する手紙をベル研究所に送った。その三か月後、日本軍による真珠湾攻撃を発端にアメリカが大戦への参戦を表明したことで、暗号破りに屈しない「解読不能の音声」を求める声が一気に高まった。一九四二年一一月、国防研究委員会(NDRC)は、ベル研究所とウェスティングハウス社に、通信を傍受されない電話システムの開発を命じた[9]。

ドイツの暗号装置ENIGMAを破った数学者アラン・チューリングは、一九四三年にベル研究所を訪れて、ヴォコーダーの検査を行っている。一九四三年七月一五日、ヴォコーダーはチューリングの検査を通り、ペンタゴンとロンドンの百貨店セルフリッジズの地下室が結ばれた(その地下室はチャーチルのコンクリート製防御用軍事建造物に通じていた)。米陸軍信号兵団は、この巨大装置による暗号化システムにSIGSALYという名を与えた。ルーズベルトの声は非人間的なノイズに還元され、遙か上空の電離層を抜けてチャーチルのもとで機械音声に合成された。かくして、ルーズベルトとチャーチルはヴォコーダーを介して何百本もの通話をやり取りしながら、ときに大統領の愛犬について冗談を飛ばしつつ、ノルマンディ海岸への上陸作戦を練ったのであった(他方、チューリングは戦後、同性愛的指向《ホモセクシュアリティ》の矯正のためホルモン治療を受けさせられたのち、青酸化合物を塗ったリンゴをかじって自裁した[10])。

ヴォコーダーに興味を抱いたのは英米だけではない。一九四二年、無線エンジニアのウラジーミル・コテルニコフが考案した、一〇の音声チャンネルをひとつに圧縮するロシア製ヴォコーダーが、レニングラードの第二〇九工場で製作された。大戦中、このヴォコーダーは前線からカフカス山脈を越えてモスクワに至るまでの無線通信を暗号化した。戦後、クレムリンはアメリカの暗号化システムにとりわけ強い関心を寄せた。スターリンは、裏切り者による盗聴から身を守るためにも、自らの通信を秘匿するヴォコーダーのテクノロジーを必要としていたのだ[11]。

こうした動機から、暗号化／音響研究専門の収容所にされたのが、一九四七年、モスクワ北部に位置するマルフィノの神学校、Assuage My Sorrows（わが哀しみを鎮め給え）教会だった。この、収容所に変えられた教会のなかで、「秘密の電話通信」の研究・開発に従事させられていた囚人のなかのひとりに、のちのノーベル賞作家アレクサンドル・ソルジェニーツィンがいた。一九四九年、当時三一歳のソルジェニーツィンは「明瞭音声責任者」として、朝から晩までヘッドフォンを被り、ロシア語の辞書を音節に分解していた。彼はクレムリンの命令により、モスクワ郊外の元神学校の収容所でヴォコーダーの開発に勤しんでいたのだ。スターリンの死後、一九六八年に出版されたソルジェニーツィンの『煉獄のなかで』は、マルフィノの収容所における体験をもとにした小説である[12]。

トークボックスのマゾヒズム

　人工音声としてヴォコーダーと並んで世に出てきたのがトークボックスである。その発祥は人工咽頭の開発研究の歴史と切っても切れない。一九四七年、トランジスタが発明されると、ボン大学の言語学者ヴェルナー・マイヤー＝エプラーは電動式人工咽頭《エレクトロラリンクス》の開発に着手した。一九五六年には、米政府はＡＴ＆Ｔに人工咽頭の開発と、軍事用に水中音響の研究を命令。これを受けてＡＴ＆Ｔは一九五九年までに、振動する隔膜と抑揚のピッチシフターが付いた、デオドラント・スティック風電池式人工咽頭を完成させた。他にも、一九三九年にギルバート・ライトが発明したソノヴォックス（Sonovox）なる装置がある。これは喉にとりつけることで作動する変換器《トランスデューサー》で、スタジオのコンソール卓に繋いで用いる。ソノヴォックスは一対のスピーカーコーンを喉に当てることで、楽器のみならず、飛行機、列車、重機などのノイズを音声に変換することができた。ソノヴォックスは喉をフィルターとして楽器と相互接続する。ライトはこの装置の着想を、ある朝、喉の髭に電気シェーバーを当てている最中に得たという[13]。

　初期のトークボックスは一九六〇年代後半頃にダグ・フォーブスによって発明されたとされる。それは箱というよりは肩にかける装飾的なバッグに収納されていた。トークボックスは、スピーカーを通さず、口に挿入したプラスチック・チューブで音を鳴らす。口から伸びたチューブをアンプを介して電気楽器と接続することで、咽頭がギターやキーボードに、口がスピーカーになり、それらを歯で共鳴させる。義足や義手と同じく、トークボックス――咽頭、口腔、口から伸びるチューブ、スピーカーユニット、電子楽器、ＰＡシステム、等々の相互接続から成るマン・マシンシステム――もまた身体の延長として機能する。実のところ、トークボックスはヴォコーダーよりもっとアナログでフィジカルである。ヴォコーダーよりも安価なのも人気の理由となった（七〇年代の時点で一〇〇ドル近くで買えた）。イギリスのギタリスト、ピーター・フランプトンは次のように述べる。「トークボックスのほうがずっとソウルがある。ケーブルでつながれた肉体だよ」[14]。

　トークボックスの存在感を世に知らしめたミュージシャンのひとりに、ファンク・グループ、ザップのリーダーを務めたロジャー・トラウトマンがいる。ロジャーは加工した電気仕掛けの歌声によって、トークボックスを宇宙通信機《コズミック・コミュニケーター》へと変容させた。彼の一九八五年の代表曲「コンピューター・ラヴ」は、のちに西海岸のＧファンクに多大な霊感を与え、数多のトラックのサンプリング・ソースとして重宝されることとなった。

　知られていることだが、他方でトークボックスは使用者の身体に多大な負荷を強いるものでもあった。偏頭痛と目眩。慢性的歯痛。とりわけ歯へのダメージは深刻である。なにせ、口腔がスピーカーと化し、高い周波数の振動を歯に伝導させるのだから。なかには、トラウトマンの元ライバル、マイコ・ウェイヴ（マイケル・レーン）のように、歯を八本失ったミュージシャンも存在した。[15]

ヴォコーダー／トークボックスは、ＹＭＯとクラフトワークを経由してアフリカ・バンバータや（ベトナム帰還兵の黒人ラジオＤＪ、エレクトリファイング・モジョを介して）デトロイト・テクノへと受け継がれ、さらに現代に目を転じてみれば、Auto-Tune を駆使するＴ－ペイン、初音ミクに端を発するボーカロイド／ボイスロイド、果てはジェンダーを越境するバ美肉 VTuber にまで、その遺伝子は音楽シーンを越えて脈々と伝承され続けている。

だがトークボックスの例でも見たように、サイボーグ化はある種の非人間的なるものへの生成変化を孕んでおり、その意味でマゾヒスティックですらありうる。実際、かのマイルス・デイヴィスも、電化／磁化／サイボーグ化を経た七〇年代には深刻な健康状態を抱えていた。前述した股関節の全置換手術にはじまり、声帯ポリープの手術、慢性化した肺炎、糖尿病、出血性の胃潰瘍、交通事故による両脚複雑骨折と顔面の挫傷、そして痛みから逃れるためのコカインやアルコールへの耽溺と依存、等々[16]……。それは自罰性も含んだ一種の自傷のようでもあり、さながらマイルス自身が悪鬼に憑かれた亡霊のようでもあった。サイボーグ化は、自分の内側に〈他〉なるものを受け入れ、自身の輪郭と境界を曖昧にする。そこにはどこかマゾヒスティックな享楽が潜んでいるのかもしれない。

マイノリティとテクノサイエンスの同盟

SF作家のウィリアム・ギブスンが、かつて「未来はすでにここにある。ただ均等に行きわたっていないだけだ」と言ったとおり、先進的なテクノロジーは、往々にして一箇所に局在化しており、やがて時間の経過とともにそれが拡散化していくプロセスに置き換わる。実際、ヴォコーダーというペンタゴンの暗号装置がポピュラーミュージックに対して開放されていったプロセスは、コンピュータやインターネットが民間化／商業化していくプロセスとある程度相即している。建物の一室に格納された大型汎用コンピュータは、西海岸の若いガレージ起業家たちによるパーソナルコンピュータの伝道を通して、個人が所有できるほどコンパクトになった。国防総省の一部局が開発した自律分散型コンピュータネットワーク（ARPANET）は、インターネットとして民間に開放され、今や全世界を覆っている。ヴォコーダーの歴史と密接に関わる暗号技術も、冷戦中はアメリカ国家安全保障局（NSA）が手中に収めていた。それに対して、暗号無政府主義《クリプト・アナーキズム》を掲げるサイファーパンクらは、自前の暗号理論――公開鍵暗号方式――によって政府の監視に対抗し、自分たち市民のプライバシーを守ろうと奮闘した。ビットコインに代表される暗号通貨とブロックチェーンの技術は、そうした闘争の歴史の副産物である。権力が生み出したテクノロジーを、反‐権力的な目的のために用いること。テクノロジーの奪取とその転用の技法。

人間の理性に対する信奉と、目的論的に定められた合理的進歩という観念に支えられた近代的なヒューマニズムは、二度にわたる世界大戦と強制収容所がもたらしたヨーロッパ精神の危機と、バイオテクノロジーや遺伝子工学をはじめとした科学技術の進展がもたらす、人間本性の理解に対するパラダイムの変容に伴い、今ではすっかり衰退している。かつての万物の尺度であった、西洋中心主義的かつ男性中心主義的な「人間なるもの《マン》」に代わって登場しつつあるのは、ポストヒューマン的主体である。

「人間」の脱中心化に伴い、かつての「人間なるもの」から周縁化され排除されてきた人々が、テクノロジーによってエンハンスメントされているという事実は興味深い。たとえば、女性の権利を求めるフェミニズム運動も、「啓蒙のプロジェクト」の遺産である人間性《ヒューマニティ》に対する闘争という側面を持っていた。そこでは、硬直化した「人間なるもの」を解体し脱中心化するために、テクノサイエンスや機械を媒介として「他」なるものへの、非人間的なものへの変容が積極的に説かれることもある。

たとえば、「サイボーグ宣言」をものしたダナ・ハラウェイにとって、サイボーグ化は女性を自身がそこに捕らわれている生物学的条件から解放させる契機となるがゆえに称揚されるべきものとされる。サイボーグ化は、女性と男性、人間と非人間、有機物と無機物、といった人間中心主義＝ヒューマニズムを支える諸々の境界を攪乱させ、なし崩しにする。機械と有機体の混成物たるサイボーグは、ポスト・ジェンダーの世界における生き物、すなわちポストヒューマン的主体である。ハラウェイは、ジェンダー政治をラディカライズするために、非人間的なテクノロジーを逆手に取ることで、古典的人文主義＝ヒューマニズムを内部から破壊することを志向する。[17]

同様に、サイバーフェミニズムを提唱するサディ・プラントは、一九九七年の著書『Zeros+Ones』のなかで、産業革命以降の情報技術と女性の深い関わり合いについて指摘している。たとえば、電信のオペレーター、タイピスト、コンピュータのオペレーターなどの多くは女性が担ってきた（ここで私たちが想起すべきは、マーキュリー計画に関わったNASAの黒人女性エンジニアたちを描いた二〇一六年の伝記映画『ドリーム』かもしれない）。プラントによれば、中枢的な制御システムや位階秩序が存在しないインターネットに象徴されるように、テクノロジーは根本的に女性的であり、父権制的な既成秩序を脅かし解体する契機を常に秘めている。[18]

マイノリティとテクノサイエンスの同盟関係は、人種的マイノリティにおいても例外ではない。たとえば、アフロフューチャリズムの文脈とも深く関わりのある黒人女性SF作家にオクテイヴィア・E・バトラーがいるが、彼女の『ゼノジェネシス』三部作（未邦訳）では、男性／女性の他にooloiという第三の性を持ち、遺伝子交換によって人間と交配することで、種族や性別といったカテゴリーを超越していくOankaliと呼ばれる知的生命体が描かれる。

ハラウェイの指摘するように、有機物と無機物＝機械の境界は思いのほか曖昧である。実際、エレクトリックと同化した七〇年代マイルス、その電子楽器のサウンドと原始的《プリミティヴ》なアフロ・ビートやポリリズムとが曼荼羅《まんだら》の如く渾然一体となって織りなすさまは、一聴してみればわかるように、非人間的どころか、どこまでも肉体的《フィジカル》な質感に満ちている。

アフロフューチャリズムは、SF、ディストピア、トランスヒューマニズムといったテーマを用いることで、星々の間で現在と未来の両方を再想像＝再創造し、黒人が真の意味で解放された未来を一種の代替現実として、言い換えれば、あり得べきもうひとつの可能世界として描き出す。

サイバースペース

第3章

もうひとつのフロンティア

1

一九八四年

ニューロマンサー、マッキントッシュ、VR

「でも、どうしてまた？」コロリョフはひどくとまどって、首をふった。「なぜやってきたんだね？」
「いっただろ。ここに住みつくためさ。こいつをでっかくもできるし、もっとたくさんつくるかもしれない。気球で生活するなんて無理だっていわれたがね、それをうまくやれるのはおれたちだけだった。自分たちの力でここまでこれる一つのチャンスだったんだ。どこかの政府や、軍のお偉いさんや、大勢の書類屋《かんりょう》のためなんかにここで生活しようってやつが、どこにいる？　フロンティアは、それを求める気持ちがなきゃだめさ――骨の髄から望まなきゃな」

――ブルース・スターリング、ウィリアム・ギブスン「赤い星、冬の軌道」[1]

「あなたはＩＢＭのパンチカードにすぎない」

サイバーパンクというＳＦのサブジャンルがある。一九八二年公開の映画『ブレードランナー』のヴィジュアルにしばしば引き付けて語られるように、サイバーパンクにおいては退廃的でディストピア的な近未来イメージが強調されることが多い。六〇年代に端を発するニューウェイブＳＦの反骨精神を受け継ぎつつ、サイバネティクスに象徴される現代サイエンスやテクノロジーの意匠を積極的に取り込むことで、サイバーパンクは八〇年代のＳＦシーンに突然変異を引き起こした。

サイバーパンクの源泉には、カウンターカルチャーとテクノロジーという、本来であれば緊張関係を伴う要素同士の矛盾を孕んだ総合がある。ＳＦ作家のブルース・スターリングは、アンソロジー『ミラーシェード』の序文——サイバーパンク運動のマニフェストともいえる文章——のなかで、次のように述べていた。

そしていきなり、新しい提携関係が明らかになってきた。テクノロジーと八〇年代カウンターカルチャーとの融合である。技術の世界と、組織化された異議申し立ての世界――ポップ・カルチャーの、幻視の流れの、街頭《ストリート》レベルのアナーキーなアンダーグラウンドの世界――との、罪ぶかい提携だ。[2]

六〇年代のカウンターカルチャーと学生運動は、反科学、反テクノロジーを掲げていた。とりわけマリオ・サビオのような学生運動家にとって、（メインフレーム）コンピュータに象徴されるテクノロジーは、威圧的で非人間的な機械であり、それは取りも直さず軍事国家や大学当局を代表とする官僚機構を象徴するものであった。階層化された官僚機構は、個人を機械のような、あらかじめプログラムされた動作をする歯車に還元するもの――恐るべきIBM症候群を発症させる病原であるとみなされた。マリオ・サビオがのちにインタビュアーに語ったように、「カリフォルニアでは、あなたはIBMのパンチカードにすぎない」と当時多くの運動家が考えていたのである。[3]

だが、カウンターカルチャーはテクノロジーに対するアンビバレントな態度を抱え込んでいた。たとえば、スターリングはそのシンボルとしてエレクトリック・ギターを挙げている。ロックにおけるエレクトロニック・テクノロジーは、前章で言及したテープ編集とオーヴァーダビングといったスタジオ・テクノロジーとも連携しながら（楽器の「電化」と編集の「磁化」）、ポップ・ミュージックに浸透していった。

そしていま、テクノロジーは熱っぽい勢いに達し、その影響はコントロールをはなれて、ストリート・レベルにはいっている。アルヴィン・トフラーが『第三の波』――多くのサイバーパンクにとってはバイブルだ――で指摘しているように、ぼくたちの社会のかたちをつくり変える技術革命は、ハイアラーキーにではなく分散に、堅固さにではなく流動性にもとづいているのだ。[4]

隠れた始祖、ピンチョン

八〇年代になると、カウンターカルチャーのテクノロジーに対する価値観は明らかに変容していた。サイバーパンクにとってテクノロジーは、官僚主義とヒエラルキーに奉仕するものではなく、分散と流動性にこそ奉仕するものだった。マッキントッシュに代表されるパーソナルコンピュータの登場は、そうしたパラダイムシフトのひとつの象徴であった。今や変革の可能性は、都市の外部でコミューン生活を営むヒッピーではなく、反骨精神に溢れたハッカーとエンジニア、そして破壊的イノベーションを志向するガレージ起業家の手に委ねられるに至ったというわけだ。

スターリングは先の「序文」のなかで、サイバーパンクの先祖のひとりとして、フィリップ・K・ディックらと並んで、「テクノロジーと文学との融合という点でならぶもののない一人の作家」という称賛を捧げながらトマス・ピンチョンの名を挙げている。たとえば、一九六六年に発表された『競売ナンバー49の叫び』に登場する、「相続権を失いし者たち」の構成する正体不明の地下組織である「トリステロ」と、彼らの用いる郵便システムおよび通信ネットワークの存在。同組織はヨーロッパの歴史を通じて間欠的に姿を現しては、公式な機関に対抗し、革命的、国家転覆的な活動を影で支えてきたとされる。そして近現代のアメリカに侵入し、マイノリティや無政府主義者らといった、主流派から排除された者たちに秘密の通信手段を提供する。[5]あるいは、二〇一三年の長篇『ブリーディング・エッジ』に登場する、商業的なインターネットに対抗して開発されたDeepArcherなる、どんな検索クローラの目にも届かないネットの最深部に存在する隠されたサイバースペースの存在。これら、ピンチョンの小説にしばしば現れるカウンター・テクノロジーの存在は、彼がサイバーパンクに霊感を与えた隠れた始祖であることを示唆している。

サイバーパンクにとって、テクノロジーに精通したハッカーとフロンティアは密接に結びついていた。ブルース・スターリングとウィリアム・ギブスンによる共作「赤い星、冬の軌道」のクライマックスに登場する二人の若いアメリカ人のような、パンク的なＤＩＹ精神とハッカー的な反骨精神を備えたノマド的アウトローだけが、テクノロジーの潜在力を引き出して未知のフロンティアを開拓することができる、というのが彼らのメッセージであった。

一八九〇年にフロンティアが消滅して以来、失われたフロンティアへの望郷はアメリカに取り憑いてきた。アメリカにおける独立独歩の精神と個人主義を醸成したフロンティア・スピリットは、一九八〇年代にサイバーパンクとして回帰した。そして、ウィリアム・ギブスンが創造したサイバースペースこそは、サイバーパンクの時代における新たなフロンティアに他ならなかった。

サイバースペース、それはコンソールとポータルを介した直接神経接続によって、この身体から解放されて「没入《ジャックイン》」することができるコンピュータ・ネットワークの、集積されたデータの光線がグリッド状にどこまでも広がる実体のないマトリックス空間。ギブスンは一九八四年に出版したサイバーパンクＳＦ『ニューロマンサー』において、コンピュータ・カウボーイが駆け巡るサイバースペースをサイバーパンクの修辞的言語と美学によって描写してみせた。

「電脳空間《サイバースペース》。日々さまざまな国の、何十億という正規の技師や、数学概念を学ぶ子供たちが経験している共感覚幻想——人間のコンピュータ・システムの全バンクから引き出したデータの視覚的再現。考えられない複雑さ。光箭が精神の、データの星群や星団の、非空間をさまよう。遠ざかる街の灯に似て——」[6]

電子共同体WELL

コンピュータ・ネットワークが形成するサイバースペースをフィクションの外側において新たなフロンティアとして最初に表象してみせたのは、意外にもサイバーパンクの外部の人間だった。六〇年代カウンターカルチャーを代表するロックバンド、グレイトフル・デッドの作詞家として知られるジョン・ペリー・バーロウである。

バーロウは一九四七年、ワイオミングの牧場主の息子として生まれた。両親はモルモン教徒と共和党員だった。小学校六年生になるまでテレビを見ることを許されず、見たとしてもテレビ伝道師がほとんどだったと回想している。一四歳の時、カトリックの学校に入れられ、皮肉にも宗教的な感情が薄れ始めた。だが六〇年代後半の大学生時代、幻覚剤《サイケデリクス》の導師《グル》ティモシー・リアリーのグループと接触し、そこでLSDを体験すると、ふたたび宗教的な直感が戻ってきた。「宇宙には何か神聖なものがあるという感覚が、再び私の中に戻ってきたのです」と、のちに彼は回想している。もっとも、その聖なる存在は特定の教義に収まるものではなかった。むしろ、バーロウは、テイヤール・ド・シャルダンやグレゴリー・ベイトソンといった神秘主義的な傾向のほうへ向かい始めていた。[7]

バーロウはグレイトフル・デッドの活動を通じて、テクノロジーと親密な関係を結ぶようになった。エレクトリック・ギター、アンプ、大型スピーカー、カラーライト、ストロボライト、等々、ロックバンドにとって恍惚の一体感を生み出すためのエレクトロニクスはすでに欠かせないものとなっていた。

一九八〇年代初め、バーロウはワイオミングの牧場を引き継いだ。当時、（製作されることのなかった）テレビ番組の脚本を書き始めていたバーロウは、フォーマットを整えるためにパーソナルコンピュータを購入した。このことが農業から足を洗い、デジタルネットワークの世界に足を踏み入れる転機となった。やがて、何百人ものデッドヘッズ（グレイトフル・デッドの熱狂的なファン）がWELLという電子共同体で会話していることを知った。一九八六年、バーロウがWELLに加入すると、彼はたちまちこのコミュニティのスターになった。[8]

一九八五年に開設されたパソコン通信サービスWELL（The Whole Earth 'Lectronic Link）こそは、現在でいう電子掲示板（BBS）やソーシャルメディアの先駆けともいえる電子会議システムを備えた最初の「バーチャル・コミュニティ」であった。

WELLの創設には、スティーブ・ジョブズにも影響を与えたひとりの重要人物が関わっている。その人物の名を、スチュアート・ブランドという。彼は、ヒッピーカルチャーとデジタルカルチャーを架橋する役割を担ったという点で、八〇年代以降のサイバーカルチャーを語る上でも無視することのできないキーパーソンである。

ブランドは、一般的には『Whole Earth Catalog』（以下『WEC』）と呼ばれる雑誌の創刊者として知られている。今ではよく知られたエピソードだが、ジョブズは二〇〇五年春のスタンフォード大学卒業式における学生らに向けたスピーチのなかで、『WEC』を紙の時代におけるグーグルであったと紹介し、さらに『WEC』最終号の文言“Stay hungry. Stay foolish”（ハングリーであれ、愚かであれ）を引用しながらスピーチを締めくくっている。『WEC』は、ジョブズにとってバイブルともいえる存在であった。

『Whole Earth Catalog』第1号
出典：Internet Archive

『WEC』はカウンターカルチャー全盛期

の一九六八年、ブランドによってサンフランシスコ・ベイエリアにて誕生した。当時、時代はまさしく価値観の転換期に差し掛かっていた。若者たちは、一九五〇年代的な物質消費志向の生き方に背を向け、自らコミューンを形成して自給自足の生活を試みた。その背景には、近代社会が生み出した諸々の矛盾——テクノロジーの負の側面や環境問題、そして戦争があった。一九六五年にアメリカ政府がベトナム戦争への本格的な介入をはじめると、徴兵制に対する反発と戦死者の増大から厭戦気分が高まり、反戦運動が広がった。こうした中で、カウンターカルチャーを担うヒッピーたちは、現行の社会システムを脱して「オルタナティブ」を目指すためには意識の変革こそが重要であるという認識を抱き、かくして新しいライフスタイルを志向する運動がはじまった。

こうした時代精神の中で、ブランドは、新しい生き方を模索する読者が有用な情報や知識へ「アクセス」するためのツールとして『ＷＥＣ』という雑誌を位置づけた。サバイバルやコミューン生活、自主教育といった、ヒッピーたちによる実験的ライフスタイルに役立つ道具や情報がカタログ形式で掲載され、それらひとつひとつに読者からの投稿を含むレビュアーのコメントが添えられていた。さらに、カタログには申込用紙が封入されており、郵送で商品を購入することができるシステムになっていた。

編集者と読者のサイバネティクス

ブランドは『WEC』における「全地球」(Whole Earth)というコンセプトの着想を、バックミンスター・フラーとサイバネティクスから得ている。フラーは、発明家、数学者、建築家、デザイナーなど数多くの肩書を持ち、とりわけジオデシック・ドームを巡る構想で広く知られている。著書『宇宙船地球号 操縦マニュアル』では地球を宇宙に浮かぶ宇宙船にたとえ、地球=システム全体を意識する視点を提示することで、エコロジー思想にも多大な影響を与えた。ブランドは、フラーから「全地球」という俯瞰した包括的視点から問題解決の視座を得るという発想を受け継いだ。[9] 後者のサイバネティクスは、数学者のノーバート・ウィーナーが一九四八年に提唱した概念である。非常にざっくりといえば、ウィーナーはサイバネティクスという概念を通じて、人間とマシンをともに情報処理装置、ひいてはネガティブフィードバックに基づく動的な自己組織化システムとして捉える視点を打ち出した。サイバネティクス的な発想は第二次大戦中の弾道制御の研究に端を発し、その後の情報理論や通信工学の基礎を築いた。その学際的な共同研究体制は、マサチューセッツ工科大学(MIT)を経由して戦後のスタンフォード大学で広まり、冷戦秩序下のベイエリアにおける航空宇宙産業と軍産学複合の研究開発体制を形成することに貢献したといわれる。[10] もちろん、ジョブズにも霊感を与えたXerox PARCのコンピュータ・テクノロジーもまた、そうした冷戦時代における軍産学複合体の遺産であった。

ブランドは、サイバネティクスのシステム論的な発想を『ＷＥＣ』に取り入れた。すなわち、レビュアー（寄稿者）や読者を含めてひとつの全体論的＝ホリスティックな生態学的システムとして『ＷＥＣ』を捉えてみせたのである。編集者と読者とが織り成す水平的なネットワークが情報のフィードバック・ループを促す。『ＷＥＣ』はそうした情報のプロセスが動的に生成される空間に他ならない（なお、バックミンスター・フラーもノーバート・ウィーナーもともに『ＷＥＣ』の創刊号において紹介のページが割かれている[11]）。

同時に、『ＷＥＣ』はカウンターカルチャー内部におけるテクノロジー＝機械に対する価値転換を促した、という意味でも計り知れない影響を残している。前述したように、当時のカウンターカルチャーや学生運動の文脈にあっては、コンピュータほど階層化され非人間化された社会秩序を象徴する存在はなかった。コンピュータは、軍部やＩＢＭのような大企業に格納された、巨大で威圧的なメインフレームを想起させ、それは取りも直さず抑圧的な官僚主義テクノクラシーを想起させるものであった。

それに対して、ウィーナーは人間とマシンを連続的なものとして捉える視座を提供した。サイバネティクスにおけるネガティブフィードバックの考え方は、トップダウンで作動する中央集権的な官僚主義に奉仕するコンピュータ（機械）という見方を転倒させ、それ自体で自律的に作動する自己調整＝自己完結的な人間‐機械混成システムというヴィジョンを打ち出したのだった（こうした見方は、のちのインターネットにも繋がるコンピュータ・ネットワーク研究の立役者であるJ・C・R・リックライダーによる「人間とコンピュータの共生」というヴィジョンにも影響を与えている）[12]。

言うなれば、サイバネティクスを自身の内側に取り込んだ『WEC』は、ボトムアップによる民主的な秩序創出のメタファーとしてコンピュータを捉えるというジョブズ的なヴィジョンの萌芽をすでに含んでいたのだった。カウンターカルチャーはサイバネティクスと出会うことで、垂直的階層やトップダウンによる権力の流れではなく、エネルギーと情報のループする回路によって構築される社会システムのヴィジョンを見出した。これらの回路は、軍隊や官僚主義による命令系統ではなく、水平的コミュニケーションの動的ネットワークに基づく安定した社会秩序の可能性を示していた[13]。

『カウンターカルチャーからサイバーカルチャーへ（From Counterculture to Cyberculture：未邦訳）』の著者フレッド・ターナーも述べるように、ウィーナー、フラー、マーシャル・マクルーハンといった『WEC』が紹介した人々の著書を通して、カウンターカルチャーを担う若者たちは、物質的な現実を情報伝達システムとして捉えるサイバネティックな世界のヴィジョンに出会った。『WEC』の制作者と読者はともに、六〇年代の政治運動が後退したあとも、カウンターカルチャーとそれを担う個人をエンパワーするツールとしてのテクノロジーという共通理念を練り上げ、パーソナルコンピュータをはじめとする現代メディアに対する新たな知的パラダイムを形成する手助けをした[14]。

Appleがマッキントッシュを、ウィリアム・ギブスンが『ニューロマンサー』を発表した年である一九八四年は、同時に『WEC』にとっても大きな転換点となる年であった。この年、ブランドは新たに『Whole Earth Software Review』を創刊し、コンピュータ／サイバーカルチャー方面に大きく舵を切った。また、この年にはハッカーやエンジニアが集まるフォーラム「The Hackers Conference」の第一回目がブランドとその仲間たちによって開催されている。同フォーラムには、やはり同年に『ハッカーズ』を著しハッカー文化を広めることに貢献したスティーブン・レヴィをはじめ、ジョブズとともにAppleを創業したスティーブ・ウォズニアックなどの重要人物が招待された。

デジタル・フロンティアの誕生

一九八五年のWELLの設立に至るまでには、大まかに言ってこのような流れがあった。ブランドにとってWELLという存在は、ユーザーたちの参加と自主管理によって場が相互作用的／再帰的に「共進化」していくという意味で、まさしくサイバネティックに作動する自律的かつ自己調整的な有機的《オーガニック》マシン・システムであり、それは取りも直さず六〇年代のカウンターカルチャーが夢見た、「意識の共有」によるオルタナティブなコミュニティのデジタル版でもあった。

そして一九九〇年、ジョン・ペリー・バーロウはWELLを評した「Crime and Puzzlement」というテキストのなかで、「『WELLという』この静かな世界では、会話はすべてタイプされる。そこに入るには、身体も場所も捨て、言葉だけの存在になる」と述べた上で、このコンピュータ・ネットワークを表現する際に「サイバースペース」という言葉を用いたのだった。[15]

一本のテレフォニックな蔓で、あるいは数百万の蔓で、それらはすべて互いにつながっている。その集合体が、住人たちが「ネット」と呼ぶものを形成している。ネットは、電子状態、マイクロ波、磁場、光パルス、そしてSF作家ウィリアム・ギブスンが「サイバースペース」と名付けた思考の巨大な領域を横切って広がっている。[16]

また、アメリカ西部ワイオミングで生まれ育ったバーロウは、このサイバースペースに対して、一九世紀における西部との類似性を指摘した上で、デジタル・フロンティアという形容を与えている。

サイバースペースは、その現状において、一九世紀の西部と多くの共通点を持っている。広大で、地図に載っておらず、文化的にも法的にも曖昧で、（たまたま裁判所の速記者でない限り）言葉も冗長で、移動が困難で、しかしチャンスは潤沢に存在している。巨大な組織がすでにこの地を所有していると主張しているが、実際の原住民のほとんどは一人で行動し、独立心が強い。ときには社会病質的なほどまでに。もちろん、アウトローにとっても、自由についての新しい理念にとっても、ここは理想的な土壌となる。[17]

一九世紀末に消滅して以降、見果てぬ夢としてあったワイルド・ウエストが、突如として電子空間という形を取ってバーロウの目の前に回帰してきた（しかもそれは空間的な限界を持たないのである）。彼にとってそれは取りも直さず、カウボーイが馬に乗って荒野を駆け巡る、リバタリアン的な自主独立の世界の（デジタル・フロンティアにおける）再興をも意味していた。バーロウは、アメリカの原風景である汚れなき荒野（virgin land）＝フロンティアのイメージをサイバースペースに重ね合わせたのである（さらに彼は、一九九六年に「サイバースペース独立宣言」を起草することを通して、サイバースペースの展望をアメリカの本源的記憶である独立革命と重ね合わせることになる）。

老いぼれてごちゃごちゃしたものが消え失せる

バーロウはＷＥＬＬに加入してから四年足らずで、雑誌『Mondo 2000』やコンピュータ専門家向けのニュースレター『Communications of the ACM』に定期的に記事を執筆し、やがて『ＷＩＲＥＤ』にも連載を持つ気鋭の電子ネットワーカーになっていた。

この時期のバーロウの活動において無視できない比重を占めていたのが、ＶＲ（バーチャル・リアリティ）の紹介である。たとえば、彼は『Mondo 2000』に執筆したＶＲ体験記の中で、次のようにＶＲの世界をレポートしている。

　突然、私は肉体から解放された。常に私を形作っている老いぼれてごちゃごちゃしたものが消え失せ、残っているものといったら、私の目の前に浮かぶマクベスの短剣のように光を放つ金色の手。それだけだ。私はオフィスの窓ぎわにある本棚を指差し、そっちに進んだ。
　本を手に取ろうとしたら手は本を突き抜けた。
「本の中で握りこぶしを作れば本を持つことができます」と、姿の見えない案内人の声がした。

「……」この場所の行く末はどうなるのだろう。一人ぼっちの小部屋を支えるだけで精一杯のちっぽけな世界。急に寂しさに襲われ、下に降りようとした。ところがスピードが速すぎて、オフィスのドアを突き抜け、底なしの藍色の広がりの中へ落ちてしまった。どうやって止まればいいか、どうやって向きを変えるのか、まるで思い出せない。うしろを指差せばいいのか、それとも、指差すまえに振り向くことになっていたっけ、みるみる頭の中が真っ白になった。[18]

頭部装着式ディスプレイ（ＨＭＤ）、データグローブ、３Ｄコンピュータ・グラフィックス、入出力装置、等々によって構成されるＶＲシステムこそは、まさに『ニューロマンサー』で登場人物たちが没入《ジャックイン》したサイバースペースの実現に他ならなかった。バーロウが、サイバースペースとＶＲを共に「身体からの解放」として経験していることは特筆に値するだろう。そこでは、サイバースペースは「身体も場所も捨て、言葉だけの存在になる」空間として、片やＶＲは「肉体から解放され」、「常に私を形作っている老いぼれてごちゃごちゃしたものが消え失せ」る空間として表象される。この点については、次節以降いずれ立ち戻るであろう。ここではさしあたり、ＶＲの泰斗ジャロン・ラニアーの興味深いエピソードを紹介しておこう。

ジャロン・ラニアーは一九六〇年、ニューヨークに生まれ、少年時代をカウボーイの文化が色濃く残るニューメキシコ州で過ごした。国境地帯には、福音主義者、プエブロ、カトリック、ヒッピー、UFOカルト、怪しげなシャーマンなどが集まり、独特のスピリチュアリティが瘴気のように立ち込めていた[19]。一三歳の頃にはジオデシック・ドームの設計を父親から任せられるなど、『WEC』的なカウンターカルチャーの精神も備えていた。そんなラニアーが最初に仮想現実の霊感を得た印象的な出来事が彼の自伝的著書『Dawn of the New Everything』（邦訳：『万物創生をはじめよう――私的VR事始』）のなかで描かれている。

ニューメキシコに着いてすぐ、他の子供たちと知り合いになる前に、驚くべきことが起こった。ある晩、地元の電話システムが完全に壊れてしまったのだ。電話に出た人の声が、一斉に聞こえてくる。何百もの声が、遠くから聞こえたり、近くから聞こえたりする、ソーシャルな仮想空間が空中に浮かんでいた。今まで経験したことのないほど素晴らしい、子供たちによる仮初の社会が形成された。浮遊している子供たちは、互いに好奇心を持ち、友好的であった。見知らぬ子とのコミュニケーションも、現実世界ほどには狼狽せずに済んだ。小さな男の子の声が、「世界中の女性を枕のように抱きしめてきたよ」と言った。しかも、近くに本物の女の子が浮かんでいる状態である。誰も起きていないはずの深夜、南京錠ひとつしか掛かっていない小さなベニヤ板の小屋に、私一人しかいなかったにもかかわらず。[20]

この、突如としてラニアーの目の前に立ち現れた、さながら幽体離脱した精神が浮遊し合う白昼夢めいたユートピア的空間は、まさしく彼にとってひとつの啓示であった。以後、ラニアーは人々が身体から自由になってコミュニケートできる仮想空間の技術構築に力を注ぐことになる。

だが、それから約半世紀が経った現在の情報環境において、バーロウやラニアーの夢見た「自由」は実現しているだろうか。結論を先取りすれば、皮肉なことに、そこにあるのはむしろ人間の自由意志を操作せんとするアーキテクチャであり、サイバースペースの元来の思想と根本的な対立を孕んでいるように思われる。

幸福な監禁

行動分析学的ユートピア

2

塵も残さず　消えてしまいたいから／真っ赤な　目の下は／見せないように　歩くの／昇らぬ朝日を
踏みつけ／今はただひとり　静寂の闇から／じっと身を潜めて　息を殺すだけだ。

――いよわ feat. 初音ミク・flower「さよならジャックポット」[1]

パチンコホールにて

映画館の暗がりが好きだ。消灯された暗闇の中に身を潜め、しばし外の世界の煩雑や喧騒から逃れる時間。同じように、筆者はときたま国道沿いのパチンコホールに立ち寄り、薄暗いスペースの一角に設置されたソファーに身を沈めながら手持ちの文庫本を読み耽る。誰もこちらに注意を払わない。みんな目の前の台を食い入るように見つめているからだ。店内に満ちた洪水のような騒音は、すぐに麻痺して作業用バックグラウンド・ミュージックと化す。映画監督ヴィム・ヴェンダースの「パチンコは禅、映画館であり教会でもある」という言葉をふと思い出す。ヴェンダースは、東京で一番好きな場所はパチンコ店だと公言していた。彼は暴力的な音の洪水、明滅する光のカオスの中に、普段の生活から隔離された禅の境地を感じ取ったのだという。「そこに存在するのは自分自身と機械だけ。日常から解放されリラックスするという意味では、誰しもそういう場所が必要だと思います」[2]。

たしかに、こんなに居心地のいい場所はない。筆者にとってパチンコホールは、外の憂鬱な世界を一時的に忘れさせてくれる仮初《かりそめ》の避難地なのだ。
そのロードサイドに建てられたパチンコホールは、巨大建築《メガストラクチャ》であると同時に飲食店をも内に含んだ複合施設《コンプレックス》で（したがってその気になれば朝から晩まで一日滞在し続けることも可能）、そのガラス張りの外観は、バウハウスのヴァルター・グロピウスが設計したファグス靴工場をどこか想起させた。建物内部は直線からなる複数の列によってセグメント化されており、客は工場の作業台に向かうのと似た要領で、横一列に並んでパチンコ台に向かい、ひたすら「作業」に没頭する。

そう、これは見ようによってはとても工場的なスタイルなのだ。ところが、太平洋の向こう側、ネバダ州のラスベガスではまったく別のスタイルが採られている。たとえばロバート・ヴェンチューリらは、建築におけるポストモダン礼賛の書『ラスベガス』のなかで、ラスベガスのカジノを、合理主義と機能主義を特徴とするモダニズム建築からの逸脱として捉えた。コマーシャリズムと広告の侵入によって、「形態」は「機能」から分断され、グロテスクなまでに奇形化を遂げる。立面《ファサード》は様々な時代と場所のデコラティブなスタイルを折衷させ、その過程でモダニズム建築が祓《はら》った象徴主義の亡霊が回帰してくる。ストリート沿いに立てられた巨大な広告看板《ビルボード》。ハードロックホテル&カジノのような、建物それ自体がひとつのイコンと化したカジノ。ネオン管と電飾によって描かれた、コマーシャルなメッセージを伝えるための象徴と図像。それらが夜になると、電気の力を借りて一斉に煌《きら》めきだす。

空間消去の法則

ヴェンチューリらによるカジノのファサードについての分析は見事なものだが、一方で『ラスベガス』にはカジノの内部について述べた箇所も存在する。そこでは内装や照明についての観察にやや終始している印象も拭えないが、それでも興味深い指摘も少なからず存在する。たとえば、以下の記述。

この天井の低い迷宮のような空間には外光は一筋も射し込まず、外部とのつながりは一切断たれているので、この中にいる人は場所と時間の感覚を失ってしまう。自分がどこに居て、いま何時頃なのか次第にわからなくなってしまうのだ。昼も夜も同じ明るさなので、時間に区切りがない。また周囲の壁の存在を曖昧にするような照明がなされるので、空間の区切りも定かでなくなる。光は空間を限定するようには用いられない。壁や天井は光の反射面としてではなく、暗い吸収面として扱われている。壁際は暗闇なので、空間は閉じているにもかかわらず境界は明確でない。[3]

ヴェンチューリらはまた別の箇所で、こうした室内環境、たとえばカジノの賭博場の天井が低い理由として、「予算を抑え、空調効果を上げるためにできるだけ天井を低くした室内空間の典型である」と指摘している[4]。要するに、カジノの天井が低いのは、予算の都合上、言い換えれば受動的な理由からである、というわけなのだが、これは解答としてはおそらく不十分であろう。カジノの内部は単に受動的な制約によって決定されているのではない。むしろ、そこには能動的＝積極的な設計思想すら見出せるのである。

その設計思想をあえて一言で述べるなら、「行動分析学」に基づいた設計思想であるといえるだろう。「行動分析学」についての詳細は後述するが、ここではさしあたり「客の行動を誘導することを目的として環境を構築する」メソッドを取り入れた設計思想であると捉えておいてほしい。

文化人類学者のナターシャ・ダウ・シュールは著書『デザインされたギャンブル依存症』のなかで、ギャンブル業界におけるカジノ設計の第一人者ビル・フリードマンが二〇〇〇年に上梓した大著『競合相手を圧倒するカジノの設計（Designing Casinos to Dominate the Competition：未邦訳）』の内容をコンパクトに要約してみせている。

フリードマンによれば、カジノの設計でいちばん大事なことは、マシン・ギャンブリングをする人たちが「隔離されたプライベートな遊びの世界」に入っていけるように、「周囲のエリアの空間的関係性、ならびにその場を包む構造的ボックスの形と感触」をしつらえることだという。「客はにぎやかなカジノでギャンブルをすることを好むが、いったん建物内に入ると、今度はカジノの喧騒から隔絶された、自分だけのこぢんまりとした世界を求める」と彼は語る。したがって、そのような隔絶した世界を求める客たちのニーズに応えるために彼はカジノのレイアウトに〈空間消去の法則〉を採用している。[5]

いかに客をカジノのフロントからギャンブリング・マシンへと効率的に誘導するか。カジノの奥深くへと客を誘い込むために、人がカジノ内を歩くパターンや精神状況を計算し尽くし、壁の処理からBGMに至るまで完璧にデザインすること。その際に鍵となるのが〈空間消去の法則〉に他ならない。

この〈法則〉によれば、広々としたスペース（たとえば高い天井）こそがもっとも避けなければならない要素とされる。フリードマンによれば、設計に失敗したカジノでは、客の目の前に「無数のマシンがずらりと並び、その頭上にはがらんとした空間が無限に広がっていた」という。[6] これなどは、どちらかといえば日本のパチンコホールを思わせるが、カジノ設計における〈空間消去の法則〉からすればご法度ということになる。〈法則〉に従うならば、むしろスペースをなるべく「圧縮」し、「分割」し、「隔離」し、互いに見えなくするように設計しなければならない。入り組んだ迷路のようなレイアウトも、空間の消去に大いに貢献している。小さく区分けされた、周りから隔絶された空間は、プライバシーや安心感、集中力を生み出す。そうすることで、ギャンブリング・マシンをプレイする客は「シェルターに守られている感覚」が得られ、マシンと自分だけが存在する世界、すなわち〈マシン・ゾーン〉に安心して入り込むことができるのだ。[7]

デザインされた依存症

カジノの内部は、この〈マシン・ゾーン〉の状態を人為的に、さらにはできるだけ長く発生させるためにデザインされている、と言っても過言ではない。〈マシン・ゾーン〉とは、これまで引用してきた『デザインされたギャンブル依存症』におけるキー概念のひとつである。それはギャンブラーがマシンをプレイしている最中に訪れる精神的状態、すなわち「自分とスロットマシンしか存在しない世界」、「周囲から切り離された」感覚、「もはや自分さえもがそこにはいない気になり、すべてが消えていってしまう」感覚をもたらす精神状態である。[8]

いちど〈ゾーン〉に入ってしまえば、時間感覚は消滅し、たとえ足元に洪水が迫ろうが、ギャンブラーは催眠にかかったようにそこから動くことはない。シュールが取材したギャンブル依存症者たちが語る〈ゾーン〉の描写は、どれも切れば血の出るようなリアリティと切実さに満ちている。だが、そうしたギャンブラーたちが捕らわれる〈ゾーン〉は、（彼らが相対するマシンも含めた）周囲の建築的、環境的世界によって人為的／人工的に作り出されたものなのだ。

それまで、ギャンブル依存症はもっぱらギャンブラーの意志の問題と考えられてきた。依存症になる人間は、意志が弱いからそこから抜け出せなくなるのだ、と。こういった、依存症を意識の有り様や意志の弱さの問題に還元＝矮小化する考え方に対して、シュールはまったく別のアプローチを採る。すなわち、ギャンブル依存症は作り出すこと＝デザインすることができる、というアプローチを。

カジノのための音楽

ここに来て一年になるが、ケイスはまだ電脳空間《サイバースペース》の夢を見、希望は夜ごとに薄れていく。〝夜の街《ナイト・シティ》〟でこれだけ覚醒剤《スピード》をやり、あれだけ肩代わりし、危ない橋を渡ってきても、眠るときに見るのはマトリックス、無色の虚空に広がる、輝く論理《ロジック》の格子《ラティス》――。[9]

ウィリアム・ギブスン『ニューロマンサー』の主人公ケイスは、肉体から解放された電脳《サイバー》空間《スペース》での歓喜のために生きてきた薬物依存症者だが、ラスベガスのギャンブラーもまた、マシンへのジャックインを通じて、言い換えれば自我とマシンとが合一する〈マシン・ゾーン〉を通じて、忘我《エクスタシス》を味わっているのかもしれない。「死にゆく その時／光る物があればいいのだろう」[10]。

〈マシン・ゾーン〉、そこにはどこか自身を無機物へと近づけていくことを欲する隠れた欲動（＝死の欲動）の存在を感じさせ、ゆえにマシンとの一体化は一種の胎内回帰をも思わせる。

その意味では、カジノのギャンブリング・スペースほど胎内回帰願望を満たすのにお誂《あつら》え向きのスポットは他にない。温度、照明、カラー、サウンド、香り――、すべてのファクターがギャンブラーの「体験的感情」に強く働きかけるようにデザインされ、彼らを〈ゾーン〉に没頭させ、〈ゾーン〉に居続けさせる[11]。

これらは通常、意識されない要素、つまり閾下で作用する要素であり、であるがゆえに強力に作用する。客の行動を誘導するためには、閾下のレベルで働きかけるのがもっとも効果的であり、そのためにも環境空間のデザインは行動分析学に基づいた、緻密で繊細なものが要求される。たとえば、カジノ内における「環境音」という要素ひとつを取ってみても、日本のパチンコホールにおけるそれとは明らかな差異が認められる。パチンコホールの環響音は、洪水のような騒音を特徴としている。そのスカムな轟音ノイズは、脳をしびれたように麻痺させる。一方、カジノはそれとは異なるタイプの環境音によって満たされている。アメリカの音響アーティスト、アドリアン・ルーの作品に、アメリカ中西部におけるカジノの店内をフィールドレコーディングした『Slot Machine Music』というシリーズがある。この音響インスタレーション作品を聴くと、アメリカのカジノは日本のパチンコホールとはまったく異なり、ノイズではなくむしろアンビエントな音響環境が構築されていることがわかる。スロットのピコピコした柔らかい電子音とリールが回転する音がスティーヴ・ライヒのミニマル・ミュージックのように陶然と反復し続け、ギャンブラーに朗報を知らせるベルの音や多幸的なサウンド・エフェクト、コインが流れ落ちる音、そして人々の話し声とざわめきとギャンブラーの嬌声がその上から多層的に被さってひとつのまとまりを持った「空間」を形成していく。カジノ・アンビエント。「空港のための音楽」ならぬ「カジノのための音楽」？

カジノの環境空間は、ギャンブラーの意識を〈ゾーン〉へと誘導し、そこでの体験を調節するために細部まで周到にデザインされている。だが逆説的なことに、ギャンブラーがゲームに没頭すればするほど、彼の周囲の環境は後退し、消滅していかなければならない。「言ってみれば、もはや存在するのはマシンの画面だけ」になり、ギャンブラーは「現実感覚を失い、刹那的になり、次の賭けのことだけしか考えられない別次元」へ、すなわち〈ゾーン〉というもうひとつの宇宙《スペース》へ移行する。[12]

この〝別次元〟では、物質世界におけるすべてのものは消え、ただ一瞬、一瞬が延々と果てしなく繰り返されるだけになる。だが、そんな別世界のような〈ゾーン〉をつくりあげ、維持していくうえで大きな役割を果たすのは、建物や雰囲気を構成する世俗的な要素だ。[13]

二つの権力形態

一旦まとめてみる。まず、日本のパチンコホールは工場的な規律権力型空間の典型タイプである。白を基調とした、高い天井と明るい照明。マシンが直線状にずらりと並んだ、開放的だが画一的な空間。それは工場や学校、あるいは病院または刑務所といった近代における統治空間と相似形を描いている。それらは個々人の意識に働きかけ、個々人の内面を規律化させることを通じて統治とコントロールを行う空間であるといえる。たとえばミシェル・フーコーは、パノプティコンと呼ばれる一望監視型監獄の分析を通じて、彼のキータームのひとつである「規律権力」を導出したのだった。——とはいえ、別に筆者はパチンコホールが客に規律訓練を施している、といった主張がしたいわけでは特にない（そういった面もあるかもしれないが）。単にパチンコホールは近代のそうした建築空間をモデルにしている、と言いたいだけである。

それに対して、アメリカのカジノは、人間工学と行動分析学に基づいた迷宮であり、意識的な規律ではなく無意識的な誘導を特徴とし、環境空間のデザインを通じて生理的な反応や気分、感情を逐次調節＝コントロールすることを目的とする。こうしたカジノのあり方は、明らかにフーコーの論じた規律権力型の建築物のあり方とは異なっている。シュールも指摘するように、

［……］その手法は、抑止ではなく誘惑、処罰でなく褒美、変容させるのでなく誘導だ。客をカジノの建物や雰囲気に合わせるのでなく、「建物を絶えず調整」して「幸福な監禁」を促す、「人間工学に基づいた迷宮」を生み出すことを、フリードマンや、体験に配慮するカジノ・デザイナーたちは推奨する。[14]

「幸福な監禁」……。もちろん、そこにあるのは客を一秒でも長くカジノに滞在させるための、一秒でも長く〈マシン・ゾーン〉の状態に留めておくための戦略であり、どこまでも後期資本主義の論理によって貫徹させられていることは言うまでもない。

「人間工学に基づいた迷宮」、それは法学者ローレンス・レッシグが著書『CODE』(一九九九年)のなかで提起した、事後的なサンクションでなく事前的な規制を特徴とするアーキテクチャ、物理的な環境＝コードを変化させることで、人々を一定の方向へ誘導することを可能とする新たな権力のあり方を想起させる。レッシグによるアーキテクチャ論は、日本ではいわゆるゼロ年代における情報社会論者の間で広く受容された。たとえば批評家の東浩紀は、二〇〇二年から連載が開始された「情報自由論」の中で、フーコーの規律権力の次に来る権力のあり方として、レッシグのアーキテクチャ概念を参照しながら、それを「環境管理型権力」として再構成してみせた。

今一度、二つの権力形態のあり方をパラフレーズしてみよう。まず、規律権力では個人に環境を意識させることが重要になる。たとえば街中の監視カメラを想起してみればいい。それらは、個人に「自分が監視されている」ことを意識させるために、つまりは監視を内面化させるために、意図的に目に触れやすい箇所に設置されている。

一方、「環境管理型権力」では、むしろ環境を個人になるべく意識させないことが肝要になってくる。というのも、そこでの環境は、内面化を経ることのない無意識的な誘導を目的として、言い換えれば意識をショートカットして無意識に直接働きかけるようにデザインされているので、意識の存在は端的に邪魔なのだ。よって、物理的環境は主体の意識の外へと消滅していくことが望ましい。

スキナーボックス

だが、「環境管理型権力」だけでは、依存症《アディクション》の問題にまで深く踏み込むことは難しい。なぜ環境をデザインするだけで、人を自己コントロール不能な状態に追いやり、ときには己の人生を破滅させてまで、ひとつの物事に耽溺させることが可能となるのか。この問題に答えるためには、レッシグだけでは心許ない。別の理論家を召喚する必要があるだろう。その人物とは、心理学者バラス・F・スキナーである。

スキナー。二〇世紀のアメリカを代表する心理学者のひとりにして行動分析学の泰斗。彼の主張の骨子をあえて一言で要約すれば、それは「自律的人間観の否定」となるだろう。スキナーによれば、自らの意志によって、すなわち自由意志を行使して自律的に行動する、といった伝統的な人間観は幻想にすぎないという。人間の行動を引き起こす原因は、自由意志ではなく「環境」にこそある。スキナーは次のように述べている。

行動は伝統的に自律的主体によって引き起こされるとされてきたが、行動科学が物理学や生物学の方法を採用することに応じて、そうした主体は環境に置き換えられる。ここでの環境は、生物種が進化し個体の行動が形作られ維持されるところの場のことだ[15]。

スキナーに関しておそらくもっとも有名なのは、スキナー箱《ボックス》と呼ばれる実験装置と、それを用いた一連の実験だろう。まず、外部からの刺激を断った箱にネズミを入れる。箱の中には、ネズミが押すことのできるレバーと、それに加えて、餌などの、強化子や弁別刺激を提供する付帯装置がそれぞれ取り付けられている。ネズミがレバーを押すと、餌が出てくる。ここでのネズミのレバーを押すという行動は、環境に働きかけ操作するという意味でオペラントと呼ばれる。餌は強化子である。ネズミはオペラントを繰り返すことで学習し、以後の反応生起頻度に増加をもたらす。これは「オペラントが強化された」と表現される。スキナーは、学習を反応の生起率（単位時間あたりの反応数）における変化と捉えた。

特定の状況で反応が生ずる確率は、学習過程に関するわれわれの認識にごく近いものである。生活体は学習すると、反応生起率が増大する。学習しなければ（たとえば、消去過程などで)、その確率は低くなる。いろいろな種類の弁別刺激を反応コントロールに持ち込むと、それに対応して反応生起率に変化が生ずる。動機づけが変わると、敏感に反応生起率に変化が生ずる。情動の喚起とはこうした事象であろう。[……]反応生起率がデータとして有効なのは至極当然のことである。というのは行動を予測したい、コントロールしたい、という目的に反応生起率は直結する。行動科学の仕事は、行動の生起率を確かめ、行動を決定している条件を見いだすことである。[16]

スキナーの心理学(行動分析学)は、人間の学習プロセスを、環境からのフィードバックに対する反応とその生起頻度の変化と考えるのである。

示唆的なことに、『デザインされたギャンブル依存症』の中に、カジノとスロットマシンを人間用の「スキナー箱」と捉えた、ギャンブル依存症当事者によるオンライン自助フォーラム上の投稿を紹介している節がある。それによれば、ネズミの閉じ込められた箱はカジノに、餌が出てくるレバーはスロットマシンにそれぞれ見立てられる。ネズミは、レバーを押すごとにご馳走がもらえることを学習する(正の強化)。さらに、ここに間欠強化というファクターが加わる。報酬(餌)が与えられるスケジュールをランダムにするのだ。ネズミが何ももらえないこともあれば、餌を少しもらえたり、あるいは一度に大量にもらえたりする

（ジャックポット！）。いつ餌がもらえるのかわからないので、やがてネズミは繰り返し何度もレバーを押し続けるようになる。取り憑かれたように。まるで中毒のように。なんだか聞いた覚えのあるような話ではないか？[17]

スロットの演出やアルゴリズムを貫くのは畢竟、条件付けの論理だ。目の前を流れていくリールの回転も、当たり演出（光・効果音・BGM・報酬）も、配当率も、「いろいろな種類の弁別刺激を反応コントロールに持ち込むと、それに対応して反応生起率に変化が生ずる」という行動分析学の知見に忠実に従っている。反応生起率を予測し、コントロールし、生の強化のフィードバックを最大化させること。麻痺したようにレバーを繰り返し押し続けさせること。

「あるのは実験のみである」

行動は環境によって引き起こされる。オペラント行動のように環境と確率的に関連している行動の場合には、誘発される（emitted）という言い方をする。雨が降ると傘をさす行動が誘発されるように。[18]

すべての行動は環境によって決定されている。スキナーは、自由意志の存在を認めていない。彼はほとんどスピノザ主義者的な物言いで、人間が自分たちに自由意志があると信じる理由のひとつは、行動の原因に関して彼らはほとんど何も知らないからだと述べる。行動は自由意志や自由選択の産物であるという考えは端的に錯覚でしかない[19]。

このような人間観は、一見すると非常に悲観《ペシミスティック》的であるように思える。結局、私たちに「自由」は存在せず、人間はただ環境にコントロールされるだけの無力な存在でしかないのか。スキナーによれば、必ずしもそうとは言えない。

たしかに、人間は環境によってコントロールされている。だがここで忘れてならないのは、環境の大部分は人間自身が作り上げたものだという点である[20]。

自分が生きる環境を操作することによって個人は自分をコントロールする。こうした営みによって人類は、そのメンバーが自分たちをうまく利する仕方で行動できるような環境を構築してきた。そうした過程ではいろいろな失敗も生じうるので、はたして人間が構築した環境が、今後も不利益に勝る利益をもたらしつづけるかどうかは定かでない。だが、私たちの知るかぎりにおいて人間は、良くも悪しくも、人間が人間から作り上げたものなのである[21]。

自律的人間の消滅は人間の「破棄」を必ずしも意味しない。環境の多くが人工物であるのならば、環境の再デザインと行動科学が人間を救いうる。「現実を不変と見なしてはいけない。永遠の真理などというものはどこにもない。あるのは実験（いろいろな試み）のみである[22]」。

カウンターコントロール

言ってみれば、スキナーは「自由」と「抑圧＝被支配」という二項対立の脱構築を行ってみせるのである。スキナーの見立てに従えば、抑圧的なコントロールと抑圧的でない（生産的な？）コントロールとがスペクトラムのように連続して存在している、ということになる。彼は、抑圧的なコントロールとは異なるコントロールのあり方を「カウンターコントロール」と名付け、前者から区別しようとする[23]。

社会の改善のためには、カウンターコントロールという視点が重要になってくる、とスキナーは主張する。言い換えれば、社会のコントロール条件を全面的に変更するのである。ここから、特異な理想社会《ユートピア》のヴィジョンが描き出されてくる。スキナーは一九四八年にその名も『Walden Two』というユートピア小説を出版している（タイトルは言うまでもなくソローを意識したものだが、直接的な繋がりはない）。舞台となるのは、約一〇〇〇人の住民から成る実験共同体。一日に四時間の労働。賃金の代わりに労働クレジットが支払われる。人々は共同住居に住み、共通のダイニングスペースで食事をする。子どもたちは出生と同時に共同保育所でボランティアの世話人によって育てられる。子どもたちは生まれたときから、共同体の利益に資するような欲望や行動を形成する条件付けの教育を受ける。その共同体では、法律や命令、罰もほとんど必要とされない。人々の行動は、すべて正の強化によってコントロールされているからだ（スキナーによれば、行動コントロールには罰よりも報酬に基づく強化の方が手段としてずっと優れている）。住居は皆幸せそうである。彼らは幼い頃から、生産的で幸せな社会の一員となるように教育される。このコミュニティは、言うなれば行動分析学という科学的真理に基づいた実験的ユートピアなのだ。

ユートピアか、ディストピアか

スキナーがこのユートピア小説を書いたのは、第二次世界大戦終結直後のことである（奇しくも、同時期にジョージ・オーウェルは『一九八四年』を執筆していた）。彼は、ヨーロッパ精神が培ってきた理性が、戦争による破壊と暴力、そして大虐殺の行使という諸々の凄惨な出来事によって脆くも崩壊していくさまを見てきた。何かが決定的に間違っているように彼には感じられた。歪みきった社会に対する新たな、そして根本的な解決策が必要なのだ。

もっとも、『Walden Two』で描かれた共同体を実際にユートピアとみなせるかどうかは、読者の解釈如何にかかっている。現に、この小説は世に出て以来、様々な批判を浴びてきた。たとえば、臨床心理学者のカール・ロジャーズは、『Walden Two』に描かれているユートピア観は、オーウェルが『一九八四年』のなかで描いた悪夢のようなディストピア社会とほとんど区別不可能であると酷評したという（読者のなかには、むしろオルダス・ハクスリーの『すばらしい新世界』を想起する向きもあるかもしれない）。アメリカの伝統的な価値観である「自由」と「自主独立」の擁護者たちは、スキナーをヒューマニズムに対する敵とみなし、全体主義者、ファシスト、マッドサイエンティストと呼んでこき下ろした。[24]

スキナーの心理学がアメリカでヘゲモニーを握ることは遂になかったが、それはアメリカ合衆国のセントラル・ドグマである「自由」と彼の立場が衝突したという理由だけではないだろう。たとえば、『Walden Two』一三章には、嫉妬や欲求不満といった感情すら、行動条件付けの適用によって社会から排除することが可能であるという主張が出てくる。しかし、一九五〇年代以降、複雑な刺激に対する情動反応を含む多くの行動が生得的であり、ほとんど変化しないということが研究によって明らかになってきた。[25] 結局、一九六〇年代のいわゆる「認知革命」以降、スキナーの心理学は徐々に認知心理学にメインストリームの座を明け渡していくこととなる。

だが、スキナーの心理学は資本主義とミュータントのように奇形的な融合を果たすことによって、私たちの住む現在に回帰しているかのように見える。カジノのスロットだけではない。アテンション・エコノミーが大手を振るようになって以降、私たちはアーキテクチャによって行動を制約させられているだけでなく、積極的に何事かを欲するまでになっている。SNSをはじめとする各種プラットフォームは、アルゴリズムを駆使して人々の欲望や承認欲求を囲い込み、ソーシャルゲームのガチャは「幸福な搾取」をますます押し進める。

スキナーの夢見たユートピアは、ビッグテックの支配するデータ資本主義として姿を変え、私たちの未来に暗い影を落としつつある。

3

人はなぜ炎上するのか

SNSと道具主義

「あなたには……、何ていうか、やばい兆候が見えてるの？」

「いや、ただインターネットがヘンっていうか、もう終わったって感じ？　テックバブルがどうとか、9・11とか、そういうんじゃなくて、ネットの歴史そのものに、破滅のシナリオが、はじめから組み込まれてたみたいな？」

「言ってることがうちの父にそっくり」

「だって見てよ、ユーザーがどんどん落伍者《ルーザー》になって、キーボードとスクリーンは、経営側が誂えた世界《ウェブサイト》への入口に過ぎない。思う壺だよ。みんな揃って中毒さ。ショッピング、ゲーム、マス掻き動画、ぜんぶ永遠の垂れ流しでしょ――」


――トマス・ピンチョン『ブリーディング・エッジ』[1]

恍惚だ。恍惚がやってくる。

――ウィリアム・ギブスン『モナリザ・オーヴァドライヴ』[2]

天井まで回せば救われる

ひとつの報告。先日、某ソーシャルゲームのガチャに天井まで課金し、大金を溶かした。より具体的に言えば、早川書房から振り込まれた連載一回分の原稿料をすべてつぎ込んだ。すべてがあっという間の出来事で、さながら白昼夢を見ているようだった。

なぜこんなことになったのだろうか。自分でもよくわからない、というのが現在の正直な心境だ。別段思い入れの深いキャラクターでもなかった。ただしそいつは期間限定のキャラクターだった。そう、腹立たしいことにそいつは期間限定だったのだ。

それで、とりあえず一回だけ十連を引いてみようというノリになった。十連一回約四千円。ただし初回課金はサービスで割り引いてくれる。これは有り難い。クレジットカードの番号を入力して課金。十連一回目。ハズレ。いわゆる最低保証と呼ばれる、もっとも運の悪い引きだった。さすがにこれは下振れを引いたか、と即座に判断することにした。次も引けば、少なくとも何か良いものは引けるはず。クレジットカードの番号を入力して課金。二回目の十連。予想通りピックアップキャラクターをひとり引けたが、あいにく狙っていたキャラクターではなかった。

通常の思考力があれば、ここで引き下がるのが賢明だろう。だが、そのときは気づいていなかったが、今から振り返ると、自分はそのときすでに〈ゾーン〉に入っていたのだ。いや、それでも理性的に考えようと懸命にあがいていた。すなわち、ここでガチャを回すのをやめてしまえば、二十連分の課金額がすべて無駄になってしまう。それならば、当たりが出るまで回すのがもっとも「合理的」なのではないか？　と。

クレジットカードの番号を入力。だが、なぜかエラーが出る。クソ、なぜだ。もう一度、クレジットカードの番号を入力。エラー。クレジットカードの番号を入力。エラー。クレジットカードの番号を入力。エラー。クレジットカードの番号を入力。エラー……。

この時点で、自分はかなりイライラしており、すでに自暴自棄になりかけていた。焦燥感に駆られ、もはや課金すること以外考えることができなくなりつつあった。一〇分後、カード会社からメールが届く。利用制限がかかっていた。短時間のあいだに大量の課金をしたので、カードの不正利用を疑われたのだ。正直なところ、誰か俺を止めてくれ、と心のどこかで願っていた。カード会社がカードを止めてくれるなら、それはそれで救いですらあっただろう。だが、すぐさま自分は利用確認の手続きを行い、利用制限を迅速に解除した。心の中で助けを求めながら。誰か止めてくれ、と心の中で叫びながら、クレジットカードの番号を正確に入力した。

そこからはあまり書くこともない。言ってみれば、それはさしずめ鼻先に人参をぶら下げられながら断崖絶壁に向かって一心不乱に突進していく馬だった。

気づいたときには天井額に達していた。天井に達せば、好きなキャラクターをひとり無条件で手に入れることができる。神々しい光のエフェクトに包まれながら念願であったキャラクターが画面から現れたとき、しかしそこに達成感はなかった。ただ、ようやく解放されたという安堵、そして気だるい虚無感がそこにはあった。

筆者は前節で、ガチャを「幸福な搾取」と表現した。だが以上の体験をふまえれば、正鵠を射ていたとは到底言い難い。それは幸福な時間などではなく、むしろ受難であった。この苦悩から解放されるために、ガチャを回し続けた。天井まで回せば救われる。それだけを頼みの綱にしながら。

炎上を生むアーキテクチャ

こうした〈ゾーン〉の体験は何もガチャに限ることではない。今では、それは至るところに存在している。

頭の中で何かが弾けるような感覚があった。感情の昂りにまかせて最後のツイートを投稿した直後。最後の炎上が始まった直後。無数の罵倒が一瞬にして目の前を駆け抜けていった直後のこと。

皮膚の下で虫が這い回っているかのようにこめかみが強く脈打ち、沸騰した興奮剤を直接静脈に打ち込まれたかのように一気に全身が熱くなる。目の前で真っ白の光が明滅しながら縦横無尽に飛び交って妙に眩しく、ガラスの表面を爪で引っ掻いたときに聞こえる不協和音のような耳鳴りが徐々に音量を上げていく。

意識は分裂し、散逸し、やがて一篇約一四〇字から成る無数の断片に姿を変えて、次々とインターネットの濁流の中へと身を投じてゆく。[3]

これは、SNSで炎上を経験した、とあるSF作家による、その出来事の渦中における作家の内面を記録したテクストである。ほとんどアッパー系ドラッグの描写かと見紛うほどの速度で壊乱していく内面。フィリップ・K・ディックが描く悪夢のように、自我は分裂し、四散していく。強迫観念と忘我。アドレナリンとドーパミンの放出。気づくと、一四〇字の文章を連投している。まるでそれから逃れることなど不可能であるかのように……。

SNSにも〈ゾーン〉は存在している。そして、〈ゾーン〉にジャックインしたが最後、他者は存在しなくなり、対話が消滅する。すべての発言が自分を取り巻くフォロワーとオーディエンスに向けた、党派性を帯びた独りよがりのアピールやパフォーマンスと化す。そこにフィルターバブルとサイバーカスケードが加わり、悪循環的なフィードバック・ループが加速する。ひとは自分のタイムラインしか見えない。タイムラインの外部は、〈ゾーン〉に入った途端に存在しないも同然となる。自分と同質な思想や嗜好をもつ人々によって形成されたタイムラインという牢獄の内側で、発言は次第に過激化していく。だが、タイムラインの一歩外側は「世間」だ。そして、ひとたび「世間」にまで発言がリーチすれば、可燃性をたっぷりと含んだ発言は一気に発火して燃え広がる。

なぜ人はSNSで炎上してしまうのか。なぜ炎上する一歩手前で身を引くことができないのか。それは、アーキテクチャがそうさせているからだ。タイムラインが自分と同質な人々で形成されるのも、タイムラインの外側が見えないのも、多くがアーキテクチャの設計意図に拠る。すぐさまフォロワーから返ってくる「いいね！」という強化子のフィードバックは、ユーザーの承認欲求を即時的に満たす。こうして人々はプラットフォームのエコーチェンバー（反響室）に絡め取られる。プラットフォーマーは一秒でも長く、人々を砂場に留め置こうと腐心してやまない。なんのために？　広告収益のために。すべては莫大な富のために。

道具主義

現在のSNSをはじめとするプラットフォームで起こっていることは、先に取り上げたラスベガスのカジノで起こっていることと奇妙なまでに似通っている。行動修正のアーキテクチャが、ユーザーの行動を監視し、予測し、誘導する。こうした、修正・予測・収益化・支配を目的として、人間の行動や経験を可視化し、制御する力、すなわち人間を繰り人形にする種の力を、『監視資本主義』の著者ショシャナ・ズボフは「道具主義(instrumentarianism)」と名付けている。[4]

示唆的なことに、ズボフは道具主義の先駆として、スキナーの行動分析学を挙げている。先述のように、スキナーは人間の自由意志を否定し、人間の行動パターンは外部の環境(アーキテクチャ)によって形成されるという立場を貫いた。もっとも、スキナーのユートピア小説(『Walden Two』)に見られるヴィジョンを、オーウェルの『一九八四年』を引き合いに出しながら全体主義的管理の典型として弾劾する立場からズボフは慎重に距離を取る。むしろ、道具主義とスキナーは全体主義とはまったく異なるイデオロギーを持っている、とさえ指摘する。

道具主義者は、全体主義者とは異なるふるまいをし、反対の方向に向かう。全体主義は暴力によって機能したが、道具主義は行動修正によって機能する。この違いに留意するべきだ。道具主義者は、人間の魂にも、それを指導する原理にも関心がない。精神を救済するための訓練や教育は不要で、行動の指標となるイデオロギーも存在しない。［……］道具主義者が関心を向けているのは、測定可能な行動を測定し、わたしたちのあらゆる行動を、絶えず進化する計算・修正・収益化・制御のシステムに常につなげておくことだけだ。[5]

道具主義者は全体主義者と異なり、暴力を用いないし、用いる必要もない。同様に、訓練も教育も必要ない。彼らは、人間の行動を測定し、予測し、制御することにのみ関心を持つ。以上のことを筆者が先に用いた語彙でパラフレーズするなら、全体主義は「規律権力」のもとで作動し、道具主義は「環境管理型権力」のもとで作動する、とさしあたり要約することができるだろう。

ズボフが道具主義の司祭のひとりとして挙げているのが、マサチューセッツ工科大学（MIT）メディアラボ内のヒューマンダイナミクス・ラボ所長、アレックス・ペントランドだ。彼は人々の行動を記録したビッグデータを利用することで、小さなグループから企業、都市、そして社会全体に至るまで、様々な規模で定量的な分析を行うことができると主張する。通話記録やクレジットカードの利用履歴、サイトへのアクセスログ、ソーシャルメディアへの書き込み、GPSの位置情報、等々、私たちが至るところに残すデータログ、すなわち「デジタルデータのパンくず」を収集し、データマイニングを行うことで人々の行動パターンを可視化する。[6]

こうした、人々の行動のあり方を統計と確率に還元するアプローチをペントランドは「社会物理学」と名付け、個人の思考と感情に焦点を当てる心理学や認知科学に対置させる。彼によれば、社会物理学は本質的に確率的であり、人間の思考がいかに形成されるかを検討外とする。同時に、スキナーの行動分析学と同じように、やはり社会物理学もまた「理性的な個人」という、人間は合理的な思考を行う存在であるとする近代的なドグマを真っ向から否定する。「人間の行動の多くを左右するのは、理性や個人的な欲求というよりも、彼らが置かれている社会的な環境である」[7]。

ペントランド、彼こそはデータ駆動型社会の時代におけるスキナーである。彼のユートピア的ヴィジョンによれば、理想的な社会システムとは、機械システムのように機能し、さらにそのシステムは、行動データのフローを用いて、「正しい」行動パターンを判断し、「悪い」行動を「正しい」行動に変える必要がある際には介入することが可能なシステムであるという。[8]

こうした立場から、ペントランドはソーシャルメディア、とりわけフェイスブックを称揚する。フェイスブックの「伝染」実験は彼にとって啓発的であり、様々な形での応用化が可能であるという考えを強化した。たとえば、フェイスブックが六一〇〇万人を対象として行った選挙の投票実験（親しいフォロワーがすでに投票をすませたことを知ると、それが社会的圧力となり、人は投票を決意する）は、社会的ネットワークの持つ効果的な力をペントランドに再確認させた。[9]

データ資源利用の精緻化、そして変質

ネットワークに蓄積されたデータ資源が富の源泉となることに最初に気づいたのはグーグルだ。のちにグーグルの七番目の社員となる、当時スタンフォード大学の院生であったアミット・パテルは、あらゆるオンライン活動の無秩序な痕跡（デジタルフットプリント）から、ユーザーの思想、感情、関心といった詳細なストーリーを再構築することが可能である、とする旨の論文を書いている。[10]

グーグルが開拓したパーソナライズとターゲティング広告のアルゴリズムは、インターネットと資本主義のあり方を根本から変えた、と言ってよい。グーグルはオンライン上に蓄積

された膨大な量の行動データを掘り起こすことで、ユーザーへのサービス向上のためだけではなく、ユーザーの関心や選好と表示させる広告とを一致させることができるようになった。ビッグデータに基づくプロファイリングによって、事業者は個人の選好と特性に見合った広告やニュースを正確に個人に対してフィードすることが可能となる。憲法学者の山本龍彦は、アテンション・エコノミーの台頭とともに現れた、徹底的に「個人化《パーソナライズ》」されたターゲティング広告は、もはや「広告」というより、特定の者に向け、その者の意思形成に直接の影響を与えようとするという点でむしろ「勧誘」（消費者契約法四条）に近い、と指摘する。[11] 言うまでもなく、ここで危機に晒されているのは、近代以来のリベラリズムにおける大原則である、対等な者同士の合意に基づく「契約」の概念である。

もちろん、こうした「勧誘」の手法は収益目的の広告に限らない。二〇一六年のアメリカ大統領選挙の最中、ケンブリッジ・アナリティカが特定陣営への投票に誘導するようなマイクロターゲットキャンペーンをフェイスブック上で展開し、のちにスキャンダルに発展したのは未だ記憶に新しい。

驚くべきは、ユーザーの行動を追跡して顧客の情報を収集することで、特定の個人の環境をカスタマイズしたりターゲティング広告を送りつける一連のテクノロジーが、すでに一九八〇年代のカジノにおいて部分的に先取りされていたという史実だ。『デザインされたギャンブル依存症』によれば、その端緒はアトランティックシティにあるハラーズ社のカジノが一九八五年にはじめたシステムにまで遡る。会員ギャンブラーに個人識別の磁気テープ付きプラスチック・カード（元はパンチカードだった）を配り、プレイのたびにスロットマシンにカードを挿入してもらう（ポイントが溜まると食事券などの報酬がもらえる）。もちろん、これはただのポイントカードではない。毎回の賭け金額、勝ち負け、マシンのプレイ・ボタンを押すペース、いつ休憩したか、どんな飲み物や食べ物を買ったか、等々の個人データが、中央データベースに逐次蓄積されていく仕組みだ。[12]

ギャンブラーのプレイ追跡システムの導入によって、ギャンブリング・マシンはスタンドアローンのゲームボックスから、ネットワーク化された電子監視デバイスに変貌した。全国にチェーン展開するカジノは、プレイヤーの情報をひとつの中央データベースに集約することによって、顧客をアメリカ全土にわたって追跡することまで可能となった。カジノ側は、集約した膨大なプレイヤーデータをマイニングすることで、ギャンブラーのプロフィールを構築し、それをもとに、特定個人にアピールするようにカスタマイズしてゲームを勧めたり宣伝したりすることもできる。[13]

近年になると、ハラーズ社のプレイヤー追跡システムはさらに精緻化されていく。同社が導入したプレイヤー価値アルゴリズムは、プレイヤーがいつ頃、いくらくらいギャンブルしそうかという予測と予算を設定し、どういう勧誘を行えば相手に反応してもらえそうか示唆する「行動修正レポート」が生成される。プレイヤーが一生のうち、いくらくらい金を失うのかを見積もる「予測生涯価値」を算出する方法までもが開発されている。収益を上げてくれると目された上客は特別優遇を受けたり、予測された来店日が過ぎても来店しない場合はダイレクトメールが送られる[14]。

匿名の権威

先にも述べたように、道具主義者の用いる行動修正／行動予測テクノロジーは、規律権力とはまったく異なったあり方で作動する。追跡テクノロジーは、ユーザーの気づかないところで行動を記録し、データを収集する。それはフーコーのいう中央監視装置《パノプティコン》をすら不要のものとする。権威や監視の目を内面化させ自己規律化へと向かわせる近代的な規律権力とは異なる、不可視のアルゴリズムやアーキテクチャが個人の行動をナッジ（そっと押す）する権力形態。ただし、注意しておこう。それは権威／権力が存在しないということではない。そうではなく、権威／権力は単に目に見えなくなっただけなのだ。

権威の位置や形態はパラダイムとともに変化する。ルターの宗教改革が、教会の権威からの解放を推し進めた一方で、神の権威への服従を求めることで外的権威から内的権威へと、権威の位置が移行していったように、近代とは権威の内面化の過程でもあった。権威は君主や制度から発せられる禁止の命令に限らない。たとえば、エーリッヒ・フロムは『自由からの逃走』の中で次のように述べている。

権威はつねに、汝はこのことをなせ、あのことをなすべからずと命令するような個人や制度であるとはかぎらない。この種の権威は、外的権威と名づけることができるであろうが、権威は、義務、良心あるいは超自我の名のもとに、内的権威としてあらわれることもある。事実、プロテスタンティズムからカント哲学までの近代思想の発展は、外的権威のかわりに内的権威をおきかえる過程として特徴づけることもできよう。[15]

人間の理性や内的良心の勝利は、必ずしも「自由」の勝利を意味しなかった。それどころか、良心は外的権威と同じように冷酷な監視者であることが明らかになったのだ。さらにフロムは、近年になると、良心の重要性は失われてきており、代わりに個人生活において力を振るっているのは、外的権威でも内的権威でもない不可視の権威、匿名の権威である、と指摘する。それらはたとえば、常識であり、科学であり、精神の健康であり、正常性であり、世論である、と。「それは強制せず、おだやかに説得するようにみえる」[16]。

現在であれば、この不可視の権威に、グーグルのアルゴリズムや氾濫するターゲティング広告、リバタリアン・パターナリストが推進する選択アーキテクチャに基づくナッジなどを含めてもいいかもしれない。フロムの慧眼は、こうした匿名の権威は顕在的な権威よりも効果的に機能することを正確に観取している点にある。どういうことか。もう少しフロムの文章を引用してみよう。

匿名の権威は、あらわな権威よりも効果的である。というのは、ひとはそこにかれが服従することが期待されているような秩序があろうなどとは想像もしていないから。外的権威のばあいは、秩序があり、命令するものがあるということは明瞭である。ひとは権威と戦うことができる。そしてこの戦いのうちに、個人の独立性と道徳的勇気とが発達することができる。また内的権威のばあいは、命令は内的なものであっても、それは認識しうるものである。ところがこれにたいし匿名の権威のばあいには、命令も命令するものも、目にみえないものとなっている。それは目にみえない敵によって砲撃をうけるのに似ている。戦うべきなにびとも、またなにものも存在しないのである。[17]

匿名の権威は不可視であるがゆえに、それらに対する抵抗拠点を形成しづらい。たとえば、筆者は推しのVTuberが、YouTubeのAIアルゴリズムによって唐突に理由不明のアカウント凍結や収益化剥奪の憂き目に遭うのを何度も見て来ている（いわゆる誤BAN）。まるで、普段は不可視の領域にとどまっていた権威が、ふとした契機で顕在化して権力を行使してきたかのようだ。とりわけビッグデータのマイニングやニューラルネットワークのアルゴリズムは、私たちの目には見えないブラックボックス化された権力、言い換えれば権威主義なき権威として、私たち個人の生活を間接的ないし直接的に左右していくだろう。だが、それは基本的に不可視なのである。

一九八四年へ

ピンチョン『ブリーディング・エッジ』の登場人物のひとりがつぶやいたように、「ネットの歴史そのものに、破滅のシナリオが、はじめから組み込まれてた」としたら……。先取りして述べるなら、インターネットの黎明期の時点で、右で見てきたような不可視の権威に対する批判意識を多くの人が持つことができていれば、現在のネットは違った形になっていたかもしれない。この点について詳しく立ち入る前に、まずはひとつの事実を確認するために、時代を遡ってみよう。そう、あの一九八四年に。

この年、Apple社は一本のコマーシャルフィルム（CF）を製作した。そのCFは新発売されるマッキントッシュのCFで、監督したのは当時『ブレードランナー』や『エイリアン』ですでにブレイクしていた映画監督、リドリー・スコット。映像の世界観は、オーウェルの『一九八四年』を想起させる、憂鬱な管理主義体制のイメージで覆われている。灰色の制服を着て黙々と行進する無表情な人々は、ビッグブラザーのもとで抑圧される群衆そのものだ。そこにハンマーを持ったアスリート風の女性が颯爽と現れ、指導者（ビッグブラザー）が映し出された巨大スクリーンに向かってハンマーを投げつける。そしてスクリーンの爆発とともに、次のようなメッセージが流れる。「一月二四日、アップル・コンピューターはマッキントッシュを世に出す。なぜ一九八四年が『一九八四年』にならないのか。その理由があなたにわかるだろう」[18]。

奇しくも（?）、マーク・フィッシャーもまた、彼の死の前年に行われた講義『ポスト資本主義の欲望』のなかで、このAppleのCFを取り上げていた。フィッシャーによれば、現在ではスタンダードとなった価値対立、すなわちトップダウンで管理される官僚システムとボトムアップで形成される個人間のネットワークという対立を、このCFは比喩的に示しているという。ここに圧縮されているのは、ソビエト連邦と結びついた「冷戦」のイメージ、すなわち人々を服従させる全体主義的な官僚システムと、それに対抗しうる、アメリカ的自由のもとで生きる個人というイメージである。同時にこのCFは、ソビエト連邦のような官僚体制と、当時コンピュータの世界を支配していたIBMに象徴される巨大産業のイメージを重ね合わせている点でも巧みであった（ちなみに、IBMはエドウィン・ブラックが『IBMとホロコースト』で詳らかにしたように、第二次世界大戦中、自社製のパンチカードシステムを枢軸国に売り込んでいたという負の歴史を持っている）[19]。

つまり、AppleはこのCFを通じて、メインフレームのようなセントラル・コンピュータを中央集権体制的な権力の象徴として描き、それに対してマッキントッシュ＝パーソナルコンピュータと、それらが織りなして形成する個人間のネットワークを、全体主義的管理からの解放を促すオルタナティブなメディアとして寿いだのだった。

パーソナルコンピュータ登場以前の汎用コンピュータ、とりわけSFに登場するそれが、国家の中央に鎮座してすべてを計算／管理する巨大な塔としてしばしば表象されていた、とは長澤均も指摘するところである（たとえば、アーサー・C・クラークの『都市と星』に登場する、都市のすべてを制御する「中央計算機」、あるいは映画『トロン』に登場する搭状のメイン・コンピュータ、等々）。「中央」に存在し、「巨大」であることによって権力を象徴する塔型のコンピュータ。それはさながら中央監視装置《パノプティコン》そのものではないか[20]。

塔としての、権力装置としての巨大コンピュータ。それは実に見えやすい、可視的な権威

／権力に他ならない。Appleは、そうしたビッグブラザー的な既成権力にアゲインストしてみせることで、抑圧された「自由」を我々こそが奪還できるというイメージを流布することに成功したのであった。言ってみれば、Appleは、全体主義的規律権力への反抗が、ただちに「自由」の獲得に結びつくと捉えたのである。しかし、彼らは果たして知っていたかどうか、このCFが放映された翌年、すなわち一九八五年には、前述したように、ハラーズ社のカジノがプレイヤー行動追跡システムを始動させているのである。これは歴史の皮肉というべきか。Appleがビッグブラザーへの宣戦布告を唱えたその翌年、私たちの「自由」を見えない糸で操る、不可視化されたもうひとつの権力がアメリカを覆い始めることになるのである。

4

メタバースは「解放」か？

精神と肉体の二分法

私は考えたい
(そうでなくちゃ)
サイバネティクスの生態系のことを
私たちが労働から解放され、自然に再び加わり、哺乳類の兄弟姉妹の元に戻り
すべてが恵み深い
マシンに見守ってもらうところを

——リチャード・ブローティガン「すべて慎み深いマシンに見守ってもらう」[1]

だれかが不適応のままでいなくちゃいけない。だれかこの社会になじめないものがいて、人間がいまどこにいるか、どこへ行こうとしているか、なぜそこへ行こうとしているかに、疑問をぶつけなくちゃいけない。それが彼の小説の難点でした。そういった疑問を提出しているというので、却下されたんです。

——カート・ヴォネガット・ジュニア『プレイヤー・ピアノ』[2]

「サイバースペース」という旗印

一九八四年にＶＲスタートアップ企業ＶＰＬリサーチを創業したジャロン・ラニアーは、現在一般的に用いられている意味での Virtual Reality（ＶＲ）という語を広めることに貢献したＶＲ業界の第一人者とみなされている。ＶＰＬは、データグローブ（トラッキングセンサーを内蔵した手袋）とＮＡＳＡが開発していた広角視野のヘッドマウントディスプレイ（ＨＭＤ）を組み合わせて一体化させることで、世界初のＶＲシステムを商業販売することに成功した。[3]

もっとも、ＶＲの技術研究は当時、ＶＰＬに限らず幅広く行われていたことも指摘しておかなければならない。たとえば、アメリカ空軍は航空訓練のための飛行シミュレーション装置やヘルメット搭載式ディスプレイの開発を積極的に推し進めていたし、ＭＩＴのアーキテクチャ・マシン・グループ（メディアラボの前身）はＣＡＤ（コンピュータ支援設計）の技術開発に資金を投じていた。こうした、地理的にもセクター的にも分散した、軍産学と航空宇宙産業がゆるやかに複合して進展しつつあった仮想現実空間をめぐる技術開発にとってひとつの契機となったのが、ウィリアム・ギブスンが生み出した「サイバースペース」というタームに他ならなかった。言うなれば、「サイバースペース」という概念は、様々な領域にまたがる人々に、自分が共通の未来を構築するプロジェクトに従事するコミュニティのメンバーであると想像させるための旗印となったのだ。

一九八八年、サンフランシスコのCADソフトウェア企業オートデスクは「サイバースペース構想」（当のギブスンに許可を取っていなかったため、ほどなく「サイベリア構想」に呼び替えられた）をぶち上げ、一万五〇〇〇ドルとPCがあれば誰でもサイバースペースへ没入《ジャックイン》できる入り口を作ることを目標に掲げた。八〇年代を通して、「サイバースペース」は主にこれらの企業が開発を進めていた仮想現実を表すタームとして定着した。このサイバースペースなる未知の開拓地《フロンティア》が、西海岸ベイエリア周辺のカウンターカルチャーの伝統と結びつくのは時間の問題といえた。[4]

没入《ジャックイン》する人々

もちろん、カウンターカルチャーとデジタル産業という、（本来であれば）水と油のような関係の存在同士が出会うのには、相応の土壌を必要とする。『Whole Earth Catalog』

（『WEC』）の創刊者、スチュアート・ブランドは間違いなくその土壌を用意したキーパーソンのひとりであった。

すでに述べたように、ブランドは自給自足／自然回帰志向のコミューン生活を営むヒッピーたちのために、日々の生活に役立つツールや知恵に簡単にアクセスし共有できる雑誌として『WEC』を発刊した。ブランドは、よりよいツールが社会に進歩をもたらすという道具中心主義的な思想と同時に、技術の民主的で分散的な利用法を説いていた。

ブランドは、コンピュータの中央集権的でない使用法、すなわち個人を解放するツールとしての使用法に、もっとも早い段階から注目していたジャーナリストのひとりである。Appleがマッキントッシュを発表するはるか以前の一九七二年、ブランドは雑誌『ローリング・ストーン』に、新しく起こりつつあるコンピュータの周辺の出来事を「スペースウォー――コンピュータ狂いの熱狂的人生と象徴的死」と題した記事のなかでスケッチしてみせた。

ブランドはかつて陸軍から退役したばかりの頃、スタンフォード大学においてハッカーたちが作り上げた「スペースウォー！」と呼ばれるコンピュータ・ゲームを観戦している。それは一九六〇年に登場した最初の、すなわちコンピュータルームを占拠する巨大な汎用機《メインフレーム》でない小型の、という意味で最初のミニ・コンピュータPDP-1に組み込まれたプログラムであった。当時のハッカーたちは、E・E・スミスの《レンズマン》シリーズや《スカイラーク》シリーズといった、宇宙を舞台にしたSF小説を好んでいた。スミス作品における宇宙を飛翔していくスリルをコンピュータ上で再現できないか、そう思った三人のMITの学生ハッカーたちが開発したのが、宇宙戦争をモチーフとした対戦型シューティングゲーム「スペースウォー！」であった。[5]
ジョン・マルコフ『パソコン創世「第3の神話」』は、ブランドが「スペースウォー！」の観戦に居合わせた場面を次のように記述している。

彼の訪問の記憶は、ものすごいものだった。ゲームの虜になってコンピュータに取り憑かれた若者が、身体から離脱したような経験にはまっていた。ブランドの心の中では、すぐにあることが思い出された。それは、家族の友人ディック・レイモンドとウォーム・スプリングスの先住民居住地の写真を撮りにいったときの出来事だった。コンピュータ・センターにいると、そのときと同じような感覚が蘇り、自分がいる世界より強烈な、まったく別世界がそこにあると感じた。彼は偶然にも、後にサイバースペースとして知られるようになるものの、最初の啓示を受けたのだった。[6]

コンピュータのディスプレイに向かって我を忘れたようにゲームに没頭する人々。それはさながら幽体離脱を連想させる光景であり、それは取りも直さずサイバースペースへの没《ジャック》入《イン》の原光景ともいえた。

マイロン・ストラロフの財団による幻覚剤LSD実験に参加し、六〇年代カウンターカルチャーを象徴するケン・キージーとメリー・プランクスターズによるトリップ・フェスティバル（グレイトフル・デッドもここでデビューした）をプロデュースし、そして『WEC』を発刊したのちも、ブランドの脳裏には「スペースウォー！」に没入《ジャックイン》する人々の光景があった。

ヒッピーからハッカーへ

そうしたブランドの二重性――ヒッピーカルチャーとコンピュータカルチャーという二重性は、一九八四年のコンピュータ関連情報誌『Whole Earth Software Review』創刊と翌年の電子コミュニティWELLの設立以降、より顕著になっていく。少なくともWELLの時代になると、ブランドは単純にヒッピーカルチャーへ迎合する姿勢からは慎重に距離を取るようになる。たとえば、WELLはヒッピーたちによる自然志向のコミューンとは明らかに異なる性格を持っていたし、そこに集う人々もヒッピーとは言えない人種が多数を占めていた。すなわち、ハッカー、プログラマー、起業家、ビジネスマン、アーティスト、研究者、未来学者、リバタリアン、ジャーナリスト、テック産業界の関係者、といった人種である。WELLは、ベイエリア周辺に勃興しつつあった多様なコミュニティを結びつけ合うソーシャルネットワークの機能を担っていたのである。

カウンターカルチャー全盛時代からすでに一〇年余り、ほとんどの『WEC』の読者はメインストリームの社会に戻り、程度の差こそあれ、そこになじもうとしていた。そこでブランドは、コミューンのような社会の外部に退却せずとも、社会変革は今いる場所でも実践可能であるという立場を示すようになった。今や変革の可能性は、田舎の自然にひきこもるヒッピーではなく、独創性と反骨精神に溢れたハッカーとスタートアップ起業家の手に委ねられるようになったというわけだ。かくして、ブランドはその人脈と仕事を通じて、西海岸におけるカウンターカルチャーとシリコンバレーにおいて勃興しつつあったコンピュータカルチャーを架橋し、結びつけるハブの役割を担ったのである。

ブランドと『WEC』の変化は、WELLの初代編集長役（管理人）と、それまでの雑誌を合併した八五年創刊の『Whole Earth Review』の初代編集長に、のちにテックカルチャー雑誌『WIRED』を創刊することになるケヴィン・ケリーを起用したことにも現れている。ケリーはブランドが築いてきたネットワークを受け継ぎ、WELLや「The Hackers Conference」周辺にたむろしていたベイエリアにおけるテック界隈の書き手たちを次々と雑誌に起用していった（その中のひとりがジョン・ペリー・バーロウである）。

ケリーにとってもVRは格好のフロンティアであった。一九八九年の夏号にはVRを体験した様子をルポした記事「Sticking Your Head in Cyberspace」を掲載し、続く秋号ではVRの父ジャロン・ラニアーへのロングインタビューを掲載している。

サイバーデリック・カルチャーの誕生

一方で、当時のVRシーンは、未だにカウンターカルチャーの残滓を色濃く帯びていた。その顕著な例のひとつとして、オートデスクが「サイバースペース構想」のプロモーションビデオに、LSDの伝道者ティモシー・リアリーを起用したエピソードが挙げられる。リアリーはそのPVのなかで、預言者のような口ぶりで、「脳の中のどこかに、アクセスして、電源を入れて、始動させる必要がある、驚異と新奇さの宇宙がある。何千年かの間、そのような活動は、ヨガ、瞑想、舞踏、ドラッグ、神秘体験を通じて行われた」と語った。[7] サイバースペースへの没入《ジャックイン》は、幻覚剤や神秘体験に匹敵するほど強烈な体験である、というわけだ。

だが、この時代においては、こうしたナラティヴ――LSDなどの幻覚剤によるトリップとサイバースペースへの没入《ジャックイン》を比喩的に結びつける常套句――はむしろありふれていたとすら言える。たとえば、ブランドは「スペースウォー！」を取材した際に、プレイヤーがコンピュータと一体化するがごとくにゲームに意識を没入させる光景（マシン・ゾーン！）を見て、幻覚剤によるトリップの経験を想起している。[8] 一九九〇年一月、『ウォール・ストリート・ジャーナル』紙は一面に「VRはエレクトロニックLSDか？」という見出しでVRテクノロジーに関する記事を掲載した。[9] 当時、幻覚剤もパーソナルコンピュータも共に、個人の知覚と知識を拡張させるツールとして受容されていた。

コンピュータやエンジニアだけでは、それがひとつのカルチャーにまで結実することはない。テクノロジーだけでは偏屈になりすぎて、孤立してしまう。しかし、カウンターカルチャーと結合することでコンピュータは〝クール〟になった。[10]

そうした傾向を象徴する雑誌が、やはり一九八四年に創刊されていた。それが『High Frontiers』である。粗雑な表紙には「幻覚剤、サイエンス、ヒューマンポテンシャル、不敬と現代アートについての宇宙時代の新聞」と印字されており、第一号にはティモシー・リアリーやテレンス・マッケナへのインタビューが掲載されていた。[11] サンフランシスコのヘッドショップ（マリファナ用品店）のカウンターで一ドルで売られていた、その生硬なパンク美学を利用したアングラ雑誌は、一九八四年のロス・オリンピックの「公式サイケ雑誌」を自称していた。[12]『サイバネティクス全史』によれば、『High Frontiers』第一号は次のような内容を含んでいたという。

『ハイフロンティアーズ』の創刊第一号の最初の論説は、「コンピュータやロボット工学」などの技術による、「われわれの文化の加速」と述べていた。急速な変化は新しい視点を必要とした。大麻、ペヨーテ、サイロシビン、マッシュルーム、麦角、ＬＳＤ——こうした物質はすべて、技術や文化の急速な変化に怠りなく備えるために、「われわれの心を加速し、精神を浄化する」とゴフマン［編集長］は唱えた。「われわれは要するに、アーサー・Ｃ・クラークが予言した、魔法と区別できない技術に到達しつつあるのだ」[13]。

六〇年代のカウンターカルチャーを虹色に彩った、意識の共有と拡大を手助けしてくれる超越主義的テクノロジーとしてのＬＳＤは、八〇年代に至ってサイバースペースと結びついた。この、サイケデリック・カルチャーとサイバー・カルチャーの融合は、サイバーデリック＝Cyberdelic（“psychedelic”と“cyber-”を掛け合わせた造語）という一語に象徴的に集約されている。『High Frontiers』は間違いなく当時のサイバーデリック・カルチャーを象徴する雑誌であった。

『Mondo 2000』第１号
出典：Internet Archive

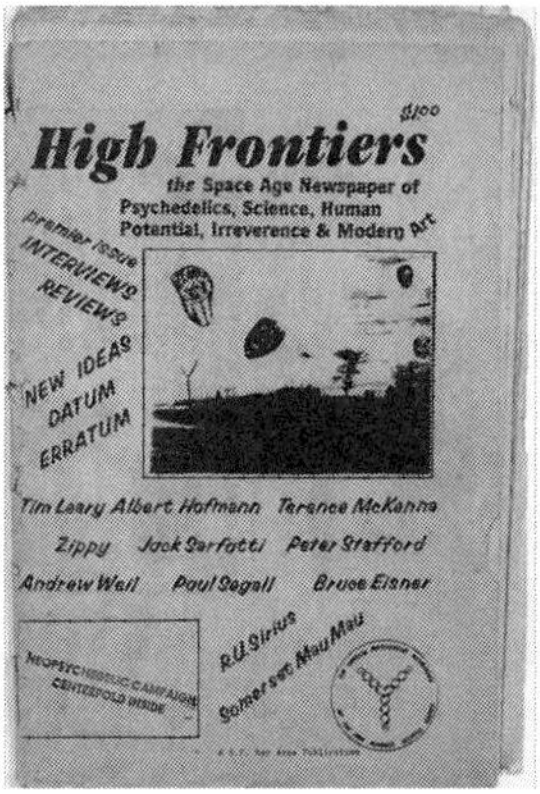

『High Frontiers』第１号
出典：Internet Archive

同誌は、一九八九年にタイトルを『Mondo 2000』と改めた。その記念すべきリニューアル号には、サイバーパンクのヒーローであるウィリアム・ギブスン、ブルース・スターリングによる寄稿や、ハッカーやインターネットウイルスについての記事が掲載されていた。

『Mondo 2000』は九〇年代を通して、ハッカー・カルチャーとレイヴ・カルチャー、ニューエイジの神秘主義とヒューマンポテンシャル運動、ヒッピーとテクノ異教徒《ペイガン》、オカルト魔術とコンピュータといった、六〇年代から九〇年代にかけての異なる衝動的文化を結びつけ融合させた。それはたしかにテクノロジーの急激な進化による魔術的なものの回帰のようでもあった。アーサー・C・クラークが予言した、魔法と区別できない技術が跋扈する時代。再魔術化の時代。

自らの身体と物理現実からの解放

だが他方で、フレッド・ターナーも指摘するように、この融合は別の次元では、「体外離脱」という共通の夢を映し出してもいた。

二〇年ほど前にトリップ・フェスティバルに参加した人々にとって、LSDは体外離脱への危険な通路であり、群衆の中の他の人々と精神的な一体感を感じる機会であるように思えた。サイバーパンクの作家にとって、デジタルな人工器官は、使用者が自分の身体から逃れ、サイバースペースに入る機会を提供するものであった。たとえそのサイバースペースが『ニューロマンサー』のように危険で脅威的な領域であったとしても、それは美しく、奇妙で、魅力的なものである可能性があるのだ[14]。

『ニューロマンサー』の主人公ケイスは、肉体を離れた歓喜のために生きてきた。ケイスにとって、肉体に囚われることは原罪を意味し、ひいてはサイバースペースから追い出されることは楽園追放を意味していた。「体など人肉なのだ。ケイスは、おのれの肉体という牢獄に堕ちたのだ」[15]。

ギブスンは、「ケイスの人格の鍵は、身体、つまり肉からの疎外感です」と語り、また別のインタビューでは、「ユダヤ＝キリスト教文化における精神と肉体という二分法についてD・H・ロレンスが書いた文章から得たアイディア」を敷衍して作品が書かれたとも語っている[16]。

少年であったジャロン・ラニアーが電話回線のネットワークを介して物質世界の制約から解放されたバーチャル空間を幻視し、ジョン・ペリー・バーロウがサイバースペースを肉体から解放されたフロンティアとして言祝いでからこのかた、精神と肉体の二分法はサイバーデリック文化を貫くセントラルドグマとしてある。だが、それだけにとどまらない。同時にこの二分法は、現在のメタバースをめぐる言説をも貫いているのだ。

たとえば、VTuberとして活動するバーチャル美少女ねむは、メタバースを解説した著書『メタバース進化論』のなかで次のように述べている。

肉体というフィルタを脱ぎ捨て、アバターという本当の身体を得た私たちは、これまで物理現実では考えられなかったような、あらゆる物事の本質に触れられるようになります。私たちの本当の人生は、今ようやく始まるのかもしれません。

メタバースでは、私たちは一つ上の次元にシフトし、自らの身体からも解放されるのです。[17]

論者によってメタバースの定義はそれぞれ微妙に異なれど、メタバースという発想の根幹にあるヴィジョンはバーロウのサイバースペース観からほぼ変化していない。すなわち、自らの身体と物理現実という桎梏からの解放というヴィジョンである。

もうひとつ、メタバースプラットフォームClusterを運営する加藤直人の著書『メタバース さよならアトムの時代』からも引用しておこう。

脳の中にある世界はこんなにもひらけている。人間の妄想力は無限大だ。にもかかわらず、人間はどうしてこんなにも物質にとらわれているのだろう。肉体から解放され、物質と決別することができたとき、人間は初めて無限の可能性を手にするはずだ。

そんな世界が、僕は見たい――。[18]

加藤は右のような想いのもと、物質（アトム）にとらわれていた時代にさよならを告げるべく、同書を執筆したという。[19] 加藤にとっても、メタバースとは物理的な制約に縛られた狭隘な現実に対するオルタナティブな別世界を意味していたのである。

念のため、もう一本補助線を引く。先に挙げた著書のなかで、バーチャル美少女ねむは、メタバースによって「物理世界において介在していた年齢、性別、肩書などのさまざまな「フィルター」を排除して、魂と魂による本質的なコミュニケーションを加速させ、より理想的な社会が実現できる可能性」（強調引用者）があると主張している。[20] ここに見出せるのは、制約の存在する物理世界を悪や欠如とみなし、一方で物理世界を超えた魂の次元を善や本質的なものとみなす二元論的思考である。

西洋世界における思想的枠組み

ただし確認しておきたいのは、こうした考え方は、必ずしもメタバースやサイバースペースをめぐる言説にのみ特異的に見られるものではない、ということである。むしろ、それは（主に西洋の）歴史を通して広く存在してきた特定のタイプのナラティヴを形成する考え方ですらあったのだ。

たとえば、西洋において三世紀から六世紀にかけて展開された新プラトン主義。その代表的な哲学者のひとり、プロティノスは魂と身体（＝物体）を区別し、魂を物体の上位に置いた（つまり魂と物体の二元論である）。加えて、プロティノスにとって「魂」（プシューケー）は我々のうちにある個別の魂だけでなく、万物を生成させる原理にかかわる「宇宙霊魂」でもある。彼によれば、宇宙全体もまた魂と身体からなるひとつの生命体に他ならないのである。[21]

新プラトン主義においては、私たちの魂は、たとえ現世であっても、私たちがそこから発出してきたところである「一者」（＝一そのもの＝至高の神）と、その発出の過程を逆さまに辿ることで「合一」できるとされる。この「合一」は「エクスタシス」（脱我）とも表現されることがある。脱我を伴う「一者」との「合一」によって、我々は滅びる宿命である肉体を捨て、不死の魂を手に入れるのだ。[22]

新プラトン主義は、アウグスティヌスやトマス・アクィナスを通じて、換骨奪胎的にキリスト教にも取り入れられ、ルネサンスの時代にはフィチーノが新プラトン主義を復活させた。また新プラトン主義は、一九世紀のアメリカにおいて超越主義を唱えた思想家エマソンにも間接的に影響を与えている（たとえば、エマソン思想には「大霊」〔Over-soul〕としての「一者」という見地があった[23]）。新プラトン主義は、エマソンを経てアメリカの精神史にも流れ込んでいる。

物質＝肉体を魂よりも低い段階のものとみなすという点で、紀元二世紀頃に発生したキリスト教異端のグノーシス主義はより苛烈な態度を取っている。グノーシス主義の第一の特徴は、「創造神」と「至高神」を区別した点にある。この宇宙を生成した創造神は「偽りの神」（デミウルゴス）であり、よってこの物質世界は唾棄すべき低質なものであるとみなされる（反宇宙的二元論）。人間の身体も「偽りの神」が作り上げたものであるが、その内側にはごく一部だけ「至高神」に由来する霊魂（＝「本来的自己」）が含まれている。グノーシス主義にとっての救済、それは自己の神的本質の認識を通じた魂の救済に他ならない。ここにおいては、（正統キリスト教のような）肉体の復活はもはや問題にならない。グノーシス主義にとって重要なのは霊魂にかかわる点だけで、むしろ肉体を含む汚れた物質界はすべて消滅すべきものとされるのだ。我々は霊魂を幽閉する肉体という牢獄から脱出し、真の故郷である「上位宇宙」（＝プレーローマ）に還らなければならない。[24]

グノーシス主義もまたルネサンスの時代に蘇り、その後の神秘主義思想に無視できない影響を与えていくことになる。このように、物質世界を悪とし、魂や精神世界を善とする二元論は、西洋世界における思想的枠組みの少なくない部分を形成してきたと言えるのだ。

右に見てきた思想と、「現実の自分がとらわれざるをえない、土地・環境・身体から解き放たれること[25]」がメタバースに対する希望のひとつであると語る加藤直人の思想、または所与の身体から解放された「魂と魂による本質的なコミュニケーション」を言祝ぐバーチャル美少女ねむの思想との間には、驚くほどの類似性が認められるのではないだろうか。肉＝物質世界を否定し、霊魂的＝上方／情報世界へと移行すること。ここにあるのは、文学者N・キャサリン・ヘイルズが著書『いかにして我々はポストヒューマンになったか（How We Became Posthuman：未邦訳）』の中で指摘するように、情報を物質よりも上位に置く暗黙のヒエラルキーであり、ひいては、情報と物質は分離することができるという二元論的前提である。当然、こうした二元論はデカルトを持ち出すまでもなく、精神／身体という近代的な人間主義から一歩も抜け出ていないという意味で、そのポストヒューマン的な装いの内側は驚くほど保守的ですらあることは、心に留めておくべきかもしれない。[26]

さらにここに「不死」というファクターが加わると、精神＝霊的世界へと移行することで永遠＝不死を獲得するという千年王国思想的想像力のデジタルバージョンへと行き着く。すなわち、技術的特異点《テクノロジカル・シンギュラリティ》にまつわる言説がそれだ。たとえばマインド・アップローディングと呼ばれる、人間の意識を情報として抽出して、コンピュータ内に移植することで一種の不死を獲得することができるとするトランスヒューマニストらの主張はその筆頭であろう。

物質と情報の二元論は、また別の亡霊を呼び寄せる。それは物質はすべて情報化＝シミュレーション化可能という発想である。この、少なからずサイバーパンク的な発想は一九九九年の映画『マトリックス』によってひとつの完成形を見た。だが現在、様相はさらに面妖なものになりつつある。哲学者ニック・ボストロムが提示したシミュレーション仮説はその一例である。

ボストロムは、私たちの住んでいるこの世界が実は何者かによってプログラムされたシミュレーション世界である可能性はほぼ一〇〇%であると主張する大胆な論文を発表した。どういうことか。ボストロムによれば、もし、宇宙に存在するある文明のテクノロジーがシミュレーションを行えるレベルに達したら、様々な目的で大量のデジタルなシミュレーション世界が作り出されるはずだという。それらひとつひとつのシミュレーション世界には、意識を備えたシミュレーション個体（SIM）が大勢住んでいるとみなせる。SIMに意識があるのなら、意識を備えた個体は、人間のような生物よりもSIMが圧倒的多数になる。というのも、シミュレーション世界をひとつ生み出す方が世界を作り上げるよりよっぽど簡単で安上がりだからだ。さらに、シミュレーション世界の内部でもシミュレーション世界が作られるといった多重シミュレーションをも考慮に入れれば、SIMの方が多数派になることは必定であろう。そうであれば、私は多数派のSIMである可能性の方が高いという結論が得られるわけだ[27]。そう、私たちはすでにデジタルな世界――メタバースの住人であるかもしれない（ちなみに、あのイーロン・マスクもこのシミュレーション仮説に傾倒しているひとりである）。

VRと「不気味なもの」

批評家の東浩紀は、一九九七年から二〇〇〇年にかけて「サイバースペースはなぜそう呼ばれるか」と題された連載を行っていた。後年の東本人による要約によれば、そこで東が主張したのは「情報技術の本質は不気味なものの経験にある、しかし当時情報社会論で流行していた「サイバースペース」の比喩はそれを取り逃がしてしまう、ということである」という。[28]

東はギブスンとフィリップ・K・ディックの小説を比較してみせる。ギブスンは、こちらが現実、あちらがサイバースペースときっちり区別された世界を描いた。それに対して、ディックの小説は、こちらとあちらの境界が曖昧になる。ディックの小説は不気味なものに取り憑かれている。[29]

東は難解な現代思想用語や精神分析理論を援用しながら論を展開していくが、その複雑な理路に立ち入ることはしない。さしあたり押さえておくべきは、「サイバースペース」という空間、ひいては物質と情報を画然と分かつ二元論は、攪乱要素としての「不気味なもの」を祓《はら》ったのちに成立するという指摘である。

この見立てを私たちの文脈に置き換えてみよう。サイバースペース＝メタバースにおける、この肉体＝物質世界からの離脱という脱身体化の夢は、物質／情報という分離された二元論を暗に前提としている。ここに「不気味なもの」は存在しない。なぜなら、「不気味なもの」は、物質と情報のあいだ、スラッシュが穿《うが》たれたその境界のスペースにおいて発生すると思われるからだ。

たとえば、VR酔いという、（筆者を含め）VRユーザーであれば誰もが経験するありふれた症状について見てみよう。VR酔いの主な原因は、脳に送られる身体感覚情報と視覚情報の不一致にある。VR映像では、視覚からは揺れや加速、傾きなどの情報が脳に送られてくるのに、身体からは揺れや重力加速度などの運動情報が脳に送られてこない。この情報の「誤配」による不一致が、今までのパターンに当てはまらない情報として脳に判断されると「酔い」が発生するのである。[30] VR酔いとは、身体と情報の狭間にある「不気味なもの」の現出である。

このような事例ひとつ見てみても、身体と情報は対立的というよりも相補的であることがうかがえる。情報はメディウム＝物質的基体から切り離して存在することはできないのである。

美術史家の近藤銀河は、メタバースによって自らの身体から解放されるどころか、逆説的にも自らの身体が亡霊のように顕在化してくるケースについて報告している。

筆者は筋痛性脳脊髄炎と呼ばれる病気を患っており、体幹を維持したり座位を保つことに困難がある。このために頭部に装着するデバイスの重量に長時間耐えることができない。ＶＲが要求することの多い両手のトラッキングを用いた操作も、身振りを伴うためにすぐに疲れてしまい、ＶＲを長時間使用することに難しさを覚えている。[31]

すべての人間にメタバースが開かれているわけではないのかもしれない。むしろ、そこでは健常的＝健康的な身体こそが暗に前提とされている。ＶＲはメタバース外の身体が健常であることを要求するからだ。メタバースは、自らの身体を捨て去り、魂たちだけが住まう上位の宇宙（＝メタバース）への移住を約束する。ただし、健常的＝健康的な身体を持つ者だけが、その天国の扉をくぐることを許されるのだ、とすれば……？

5

身体というアーキテクチャ

私がユートピアであるために

まるで彼の肉体はすでに結晶化し、この窮屈な次元から、はるかに美しい宇宙へと脱出していったかのようだった。

――J・G・バラード『クラッシュ』[1]

吾々は生きて肉のうちにあり、また生々たる実体をもった宇宙《コスモス》の一部であるという歓喜に陶酔すべきではなかろうか。

――D・H・ロレンス『黙示録論』[2]

「メタバースSF」の真の元祖

かつて推理小説家の殊能将之は、ウィリアム・ギブスンが古びない理由として、ギブスンがテクノロジーについてイメージしか描かず、細部をいっさい無視したからだ、と指摘していた。いつの時代になっても、エンジニアたちはギブスンが描いたイメージを最新のテクノロジーによって実現しようと試みる。ギブスンの「サイバースペース」は、その時代の最先端テクノロジーによって実現されることで時代とともにバージョンアップし続けるのだ[3]。

メタバースが二〇二〇年代の「サイバースペース」であることに異論を唱える向きは少ないだろう。前節では、情報技術の本質は〈不気味なもの〉の経験にあるのだが、「サイバースペース」の比喩はそれを取り逃がしてしまう、という東浩紀による指摘がメタバースにも当てはまることを確認した。そもそもサイバースペースの理念的なオブセッションにはフロンティアの開拓というアメリカ建国以来の衝動が亡霊のように取り憑いている。言うまでもなく、開拓者にとっての〈不気味なもの〉の対象は先住民だった。彼らは先住民を排除することで、無垢なるフロンティアという表象を手にすることが可能となった。

　メタバースという概念の初出は、一九九二年に刊行されたニール・スティーヴンスンによるSF小説『スノウ・クラッシュ』とされる。だが、筆者はここであえてフィリップ・K・ディックの『パーマー・エルドリッチの三つの聖痕』を取り上げてみたい。メタバースを考える上で、この小説には『スノウ・クラッシュ』とは異なるパースペクティブと予言性が含まれていると考えるからだ。

『パーマー・エルドリッチの三つの聖痕』は一九六四年に出版されている。『スノウ・クラッシュ』はおろか『ニューロマンサー』よりはるか以前に出版されたこの小説に、現在のメタバースを予言するような描写が数多く含まれていることに驚きを禁じ得ない。主な舞台となるのは火星。地球は温暖化が加速し、もはや人間が住めない星になりつつある（先見性！）。そこで新たな居住地候補として火星や金星に開拓移民を派遣している。索漠とした火星で暇を持てあましている惑星開拓移民たちは、幻覚剤「キャンＤ」を摂取してパーキーパット人形なるアバターにジャックインし、二〇世紀アメリカの都市生活をシミュレートできる模型セット、その箱庭の仮想現実生活に束の間の慰めを求める。これだけ書いても、まるで現在のＶＲを予言した元祖メタバースＳＦのように見えなくもない。模型セットは現代におけるサンドボックス・ゲームと言い換えることもできるだろう。

だがそれだけではない。「キャンＤ」のヘビーユーザーは固有の価値観を奉じている。

サム・リーガンはキャンＤの信者だった。彼は昇天の奇跡を肯定していた。昇天――つまり、模型セットの小世界がもはやたんなる地球のコピーではなくなり、地球そのものとなる至高の一瞬である。そして彼とほかの仲間たちは、キャンＤの作用で人形の中に魂をのりうつらせ、一つに融けあい、時間と局部空間の外に運ばれるのだ。[4]

キャンＤの信者たちは、肉体から魂を解放させ人形に転移させるプロセスを「昇天」という宗教的タームで呼んでいる。ここにあるのは典型的な心身二元論である。また別の箇所では、心の清められる体験とも呼ばれている。

本来あれは、心の清められるような体験であるべきはずだわ。あたしたちは、いわば現し世の肉体、形のある存在を失うわけでしょ。そして、その代わりに、滅びることのない体を手に入れる――たとえしばらくのあいだでもね。いいえ、永久といえるかもしれないわ。一部の人たちのように、あれが時間と空間の外にあって、だから永遠のものだ、と信じるなら。[5]

こうした思想は、前節で取り上げた新プラトン主義に近接している。滅びるべき現し世の肉体から脱出し、滅びることのない体に魂を合一させて不死性を得る（ここにはどこかトランスヒューマニズム的な匂いすらある）。また、右に引用した発言は、これも前章で取り上げたバーチャル美少女ねむ『メタバース進化論』における「肉体というフィルタを脱ぎ捨て、アバターという本当の身体を得た私たちは、これまで物理現実では考えられなかったような、あらゆる物事の本質に触れられるようになります。私たちの本当の人生は、今ようやく始まるのかもしれません」といった発言をも想起させるだろう。

だが、この小説にはキャンDとは異なるもうひとつのドラッグが存在する。それがパーマー・エルドリッチなる謎の人物が普及をはかるチューZである。チューZは現実に対してキャンDとはまったく異なる作用を及ぼす。キャンDにおいては現実と仮想世界の境界はあくまではっきりとしていた。現代の私たちが、現実世界とVRのメタバースを区別しているように。しかしチューZは、両者の区別それ自体を無化してしまう。謎の男エルドリッチは、キャンDは単なる現実逃避にすぎないと言う。「短い逃避の期間が終わって、もとのところへ帰ってきたとき、……移民はもうノーマルな日常生活をつづけてゆく気がしなくなる。士気をそがれるんだ。しかし、もしキャンDの代わりにチューZを……」[6]。

チューZは現実空間と仮想空間を混在させる。現実と仮想が一致する。よって、チューZは現実からの逃避とならない。しかし、一度チューZを接種してしまったが最後、チューZの世界から逃げ出すことも困難になるわけだが。

チューZによって現実と仮想が一緒くたになった世界は、主人公にとってエルドリッチが遍在する世界として現れる。彼はあらゆる場所にエルドリッチの気配と痕跡を感じ取る。それは、この世界がエルドリッチによって細部までコントロールされ、また絶えずエルドリッチによって干渉可能な世界であることを示唆していた。「エルドリッチはこれからつねにわれわれとともにあり、われわれの生活へ浸透してくる」[7]。

> いったん、やつがバーニィの体内へドラッグを入れたら、われわれの負けだ。なぜなら、エルドリッチはどういうわけか、あのドラッグで生み出される妄想の世界のそれぞれを支配しているからだ。
>
> 「……」
>
> そして問題は、いったんその世界へはいると、あともどりがきかないことだ。そいつはどこまでもついてまわる。こっちが自由になったと思ったときでさえも[8]。

MRの時代の神

これまで見てきたように、メタバースは現実世界のあらゆる制約から解放されたユートピア的空間として表象されてきたのだった。しかし、『パーマー・エルドリッチの三つの聖痕』はメタバースの必ずしもユートピア的ではない側面を予言しているように見える。もっとも、こうしたVRとサイバースペースを巡る陰鬱な側面については、これまでもたびたび登場してきたVRの泰斗ジャロン・ラニアーがすでに早い段階から指摘していた。彼は、VRに取り憑く不穏なヴィジョンについて、スキナーボックスを例に挙げながら示してみせる。そう、以前に私たちが見てきた心理学者バラス・スキナーの、あのスキナーボックスである。

さて、スキナーボックスについて考えてみよう。その構成要素はなんだろうか？　箱の中には測定するための生き物がいる。ネズミはボタンを押したか？　そこには常にフィードバックが存在する。餌は出てくるか？　行動を引き起こす原因となるのは何か？　かつての実験では、生身の科学者が操作していたが、最近ではアルゴリズムが使われている。

スキナーボックスとサイバネティック・コンピューターの構成要素は本質的に同じなのである。今さら言っても初歩的なことかもしれないが、私が若いころは、そのつながりが新鮮で衝撃的だった。

VRがうまく機能するためには、人間の行動をかつてないほど計測＝感知する必要がある。フィードバックを通して実質的にあらゆる経験を作り出すことが可能となるのだ。それは、史上最も邪悪な発明となるかもしれない。[9]

繰り返しになるが、スキナーボックスとは心理学者バラス・スキナーが作り出した実験装置のことであった。スキナーはその一連の実験を通じて、それまで支配的であった自律的人間観を否定した。スキナーによれば、自らの意志によって、すなわち自由意志を行使して自律的に行動する、といった伝統的な人間観は幻想にすぎない。個人の行動パターンを形成する要因は、自由意志ではなく「環境」にこそある。スキナーボックスの内部にいる人間は、自身で自身の行動をコントロールできていると思いこんでいるが、実は箱によって、あるいは箱の背後にいる第三者によってコントロールされている。ラニアーは「仮想世界のテクノロジーは本来、究極のスキナーボックスのための理想的な装置となりうる」と指摘している。[10]VRは統治に適した不気味なテクノロジーとして立ち現れる。すなわち、「規律社会」の次に到来する「環境管理型権力」に奉仕するアルゴリズムのテクノロジーとして。

Meta のマーク・ザッカーバーグは現在、VRのみならず、現実世界とVRを組み合わせた複合現実（Mixed Reality：MR）を積極的に推し進めている。実際、二〇二二年に発表されたVRヘッドセットMeta Quest Proは、カラーパススルーを採用することでMRヘッドセットとしても機能する。

たとえるならば、キャンDの世界はVRであり、チューZの世界はMRだ。チューZの世界では、バーチャル空間と現実空間が重なり合う。サイバースペースが現実世界に降りてくるのだ。複合現実を生きる人々は、娯楽、仕事、社交といった日常生活全体がアルゴリズムとアーキテクチャによって計測／統御される可能性に曝されるだろう。アテンション・エコノミーの台頭とともに現れた、ユーザーの行動を監視し、予測し、誘導する行動修正のアーキテクチャを、『監視資本主義』の著者ショシャナ・ズボフはスキナーを念頭に置きながら「道具主義」と名付けたのだった。

現在、ネットとリアルはますますシームレスになりつつある。たとえば、Apple Watchなどのウェアラブル端末は常にネットとも接続しながら、ユーザーの生体内情報（心電・血圧・内臓脂肪など）や生体外情報（運動・睡眠・食事など）といったライフログを収集している。Alexaのようなスマートデバイスは、人々の生活に寄り添いながら、他方でユーザーについての様々なデータ（生活習慣、趣味、等々）を収集している。モノのインターネット（IoT）と呼ばれる現状は、ネットとデバイスが私たちの日常生活にまでくまなく浸透していくことを意味しており、それは取りも直さず個人がますますデータの集積に還元されていく状況とも相即している。こうして、生活空間と消費空間は区別しがたくなっていく。ネット＝サイバースペースは今や、「ここではないどこか」ではなく、私たちを包囲して留め置くための「ここ」になったのである。

私たちの世界がますますチューZ的＝複合現実的な世界に近づきつつあるとするならば、その世界におけるパーマー・エルドリッチとはすなわちアーキテクチャを統べる者（それは企業やプラットフォーマーであったり、あるいはそれらを所有する特定個人であったりする）に他ならないだろう。

先に言及した、スキナーのユートピア小説『Walden Two』には、ユートピアの創立メンバーであるフレイジャーという登場人物が、村を見下ろす丘にある「玉座」に腰を下ろし、双眼鏡でコミュニティの活動の全貌を見渡しながら、村を「自分の作品」と呼び、自らを「神」になぞらえるチャプターが存在する。[11]

奇しくも（?）、バーチャル美少女ねむ『メタバース進化論』においても、メタバースでは人間は神に等しい力を手に入れることができると説かれていた。

現在起こっているメタバースによる革命は、この人類の進化の「前日譚」であると私は見ています。もちろんメタバースで私たちが不老不死になることはないし、この物理現実世界で病や死を根絶するのは、まだ遥か先の未来でしょう。しかし、限定的とはいえ、私たちが神の力を手に入れたデジタルな仮想世界「メタバース」でなら既にできるのです。私たちの肉体を、自己認識を、社会を、宇宙を再設計することが。それは、物理現実世界で「神」になる前段階です。[12]

もちろん、来たる複合現実の時代においては、神の力が及ぶのはメタバースにとどまらないだろう。

消えた政治的ラディカリズム

見てきたように、サイバースペースは現実世界のあらゆる制約から解放された、絶対的な「自由」が保証されたフロンティア的空間として表象されてきた一方で、細部まで設計／統御可能なアーキテクチャとしても考えられてきた。ここに、サイバースペースを巡る根本的なジレンマがある。

よって、私たちはこのジレンマから距離を取り、再びサイバースペースが生まれた現場に立ち戻らなければならない。そこで何が起こり、何が起こらなかった（排除された）のかを見極めるために――。

　サイバースペースが勃興した一九八〇年代のアメリカは、ロナルド・レーガン大統領によるレーガノミクスに象徴されるディケイドであった。経済活動に対する規制緩和と自由競争の促進を大きな特徴とするそれは、新自由主義やポストフォーディズムなどと呼ばれるものと極めて親和性の高いものだった。

　そう、一九八〇年代は世界が新自由主義に突入していった時代なのである。イギリスに目を転じてみれば、マーガレット・サッチャー首相が一九八〇年代を通してサッチャリズムと呼ばれる新自由主義化政策を推し進めていた。すなわち、官営部門の民営化、市場化、経済活動に対する規制緩和、福祉の縮小といった、「小さな政府」を志向する諸々の政策がそれである。だが、公共投資を抑えた緊縮財政は、不況の長期化と企業淘汰による失業率の上昇を招き、結果的に貧富の格差はますます拡大した。サッチャリズムによって、イギリスの失業率は第二次世界大戦以降最悪の数字を記録したといわれる。

　他方で、こうした「小さな政府」を志向する新自由主義政策は、官僚制や国家的なものを忌み嫌うシリコンバレーの起業家たちの思想とも相性のいいものだった。スチュアート・ブランドがサイバネティクスのシステム論的な発想を『Whole Earth Catalog』に取り入れていたことを思い起こしてほしい。いわばブランドは、自分たちのコミュニティを有機的な自生的秩序として構想しようとしていた。自生的秩序とは、垂直型の統治構造を持たない、各人の自由に依存した秩序ということだ。だが、ともすればこうした共同体についての考え方は、翻って経済の領域に転化されると、政府による介入を認めない市場原理主義、すなわち市場は市場に本来的に備わっている自己調整機能に任せれば良いというリバタリアン的な思想に往々にして近づいていくだろう。

もちろん、ブランドのコミュニティについての考え方は、六〇年代カウンターカルチャーにおけるコミューン思想を源流としている。だが、たとえば現在のシリコンバレーのテック企業やメタバースなどを見ても、そこにカウンターカルチャーの精神を見出すことは難しい。一体なぜこうなったのか。

批評家のマーク・デリー（彼はアフロフューチャリズムの名付け親として、過去章のなかで一度だけ登場している）は著書『エスケープ・ヴェロシティ』の中で、一九九〇年代のサイバーデリックカルチャーを俯瞰しながら、そこにカウンターカルチャーからのとある断絶を見出している。たとえば筆者も前節で取り上げた雑誌『Mondo 2000』で頻出する語句は、ドラッグやニューエイジ、異教神秘主義など、カウンターカルチャーからの影響を濃厚に感じさせるものだ。だが、そこにはある「選別」が暗に働いていたという。九〇年代らしくないとしてサイバーカルチャーから排除された六〇年代カウンターカルチャーの遺産。すなわち、反戦運動、公民権運動、ブラック・パワー、フェミニズム、等々といった諸々の政治的ラディカリズムがそれである。[13]

カウンターカルチャーにおける快楽主義的側面だけが残され、政治的側面は打ち捨てられた。そこにはもちろんヒッピーや政治運動の退潮が関わっている。政治の季節は終わり、若者たちはコミューンから都市や家庭に戻っていった。「世界を変革せよ」という思想は忘れ去られ、代わりに「意識を変革せよ、人生を変革せよ」という思想が主流となった。仮に制度的な変化が期待できないのであれば、私たちにできることは資本主義とテクノロジーを最大限に利用することだけだ。こうして、世界の変革を諦めた若者たちは、不都合や理不尽が蔓延《はびこ》る現実に背を向け、新しい世界を創り始めたのだった。誰にも邪魔されない、現実の制約を受けない自由が存在する世界、サイバースペースという新しい世界を。

なお、ここでは詳述できないが、こうした、現実世界からイグジット（exit）し、外部にエリートだけの共同体を構築するという考え方には、ヒッピーのコミューン思想だけでなく、リバタリアン思想、とりわけアイン・ランドや俗流ニーチェ主義からの影響も感じられる。ちなみに、ロバート・A・ハインラインには『月は無慈悲な夜の女王』という、月にイグジットしていった人々が地球政府に対して独立を宣言して革命を起こすという内容のSF小説があるが、この作品はアメリカ本国では『夏への扉』よりも評価が高いとされる。言うまでもなく、本書がアメリカ独立戦争という建国神話とフロンティア・スピリットを巧みにSF的意匠に包みながらトレースしてみせているからだろう。さらにちなむと、アメリカにはリバタリアンSFというSFのサブジャンルが存在しており、優れているとされるリバタリアンSFにはプロメテウス賞なるアワードが贈られる。『月は無慈悲な夜の女王』も一九八三年にプロメテウス殿堂賞（Hall of Fame Award）を授与されているが、実は同年にもうひとつ殿堂賞を与えられている小説があって、それは奇しくも（？）アイン・ランドの『肩をすくめるアトラス』だったという。[14]

ニューエコノミーがもたらしたもの

政治的意識の消滅は、ブランドの『WEC』周辺にも見受けられた。そもそも、そこに集まった人々は皆エリートであった。より具体的にいえば、それは男性、起業家、高学歴、白人といった要素で成り立っていたのである。ジェンダーや人種、階級といった、六〇年代の政治の季節に台頭した問題群からはすでに冷ややかな距離が取られていた。

九〇年代、アメリカの企業や政治が右傾化するに伴って生まれたニューエコノミーは、シリコンバレーと新自由主義との蜜月の関係に拍車をかけた。新自由主義化を経たことで、ネットワーク化された生産形態と契約雇用、グローバルなアウトソーシング、規制緩和された市場、これらすべてが経済生活の一般的な特徴になった。ニューエコノミーは、さらにそこにＩＴテクノロジーを加えた。デジタル技術とネットワーク化された経済組織の融合。中央集権的なヒエラルキーの代わりに、目に見えないエネルギーと情報コミュニケーションの流れで結ばれたピア・ツー・ピアの社会。それはもちろんブランドたちが望んだ社会でもあった。彼らが『ＷＥＣ』の活動を通して思い描いていたコミュニティのヴィジョンは、いつのまにか社会のメインストリームのあり方になっていたのである。

一方で、ニューエコノミーは、ギグエコノミーやゼロ時間契約といった、終身雇用を過去のものとする流動的かつ不安定な、非正規化した雇用形態を常態化させた。官僚的な中央集権構造は今や完全に過去のものとなり、「柔軟性《フレキシビリティ》」や「個人の選択」が支配的となる時代がやってきた。

『Whole Earth Review』の初代編集長を務めたケヴィン・ケリーが、『ＷＩＲＥＤ』を創刊したのは一九九三年、そんな時代の最中であった。ケリーはニューエコノミーに賛同する人々を『ＷＩＲＥＤ』に招集した。たとえば、リバタリアン右派のジョージ・ギルダーが『ＷＩＲＥＤ』上でインタビューを受けたり、保守派の共和党下院議員ニュート・ギングリッチはとある号の表紙まで飾ったほどである。

変えていった。だが、それはともすれば政治意識を排除したエリート主義的なものであったことも確かであった。

フレッド・ターナーは著書『カウンターカルチャーからサイバーカルチャーへ』の中で、この時期のシリコンバレーのテック・エリートたちは、外部に依存しない、ある種の自立幻想を抱いていたと指摘している。まさにサイバースペースがその一例だろうが、ターナーによればその種の幻想は端的に誤っているという。どういうことか。

情報と基体

スムーズな情報の流れという幻想の背後には、何百万というプラスチックのキーボード、シリコンウェハー、ガラス張りのモニター、何キロも続くケーブルといった現実が横たわっている。これらのテクノロジーはすべて、まずそれの製造、のちにそれの解体に従事する肉体労働者に依存している。この作業は、まず製造に必要な有毒化学物質を扱う人々にとって、またその後、それらの化学物質が最終的に漏れ出す土地に住み、水を飲み、空気を吸う人々にとって、依然として非常に危険である。［……］近年、製造業と再生利用の両方が海外に移行している。そしてまた、女性や貧困層がリスクの高い仕事に不当に従事するようになった。アメリカの法律に守られていない中国やその他の国々の工場では、一日一八時間、時給三〇セントの賃金で新型の機器を製造している。[15]

メタバースを駆動させる無数の巨大サーバーは絶えず大量の電力と熱を消費し、仮想通貨のマイニングは無視し難い膨大な排気熱を生み出す。そして、その背後にはそうしたインフラを維持するための労働者たちの身体がある。近年、ＩＣＴ（情報通信技術）セクターにおけるデータセンターやネットワーク関連の消費電力が急増しており、今後も大幅な増加が見込まれている。とりわけ機械学習にも不可欠な高性能ＧＰＵは消費電力も非常に大きい。国立情報学研究所の佐藤一郎は、現在の増加ペースを考えると、約五年後には、動画配信などの制限の議論が起き得ることに加え、通信トラフィックが大きいメタバースについても消費電力問題は逆風になり得る、と指摘している。[16]

パーソナルコンピュータとサイバースペースは、長年にわたって「個人を解放する」という幻想を生み出してきた。だが、情報や情報技術はそれを支える基体（インフラストラクチャ）や身体と不可分であり、そこから逃れることは決してできない。ターナーが指摘するように、ケヴィン・ケリーやジョン・ペリー・バーロウのような作家たちは、肉体から離れた、自律的なユートピアを幻想する一方で、身体性が人間のあらゆる生活を形作る複雑な方法について、そしてデジタル技術とネットワーク生産様式が生活と密接に結びつくインフラや身体性に与える影響について考えるための言語を奪ってしまったのである。[17]

ユートピア的身体

よって、私たちは身体＝基体＝アーキテクチャ、言い換えれば下部構造《インフラストラクチャ》をめぐる問いを回復しなければならない。それは政治的な問いとなるだろう。なぜなら、それらはどれも逃れ難く政治性を含み込んでいるからだ。その上で、私たちは身体というアーキテクチャを消去することなく、むしろそこから出発する形でユートピアという主題を問い直さなければならない。たとえば……。

ミシェル・フーコーは一九六六年に行ったラジオ講演「ユートピア的身体」のなかで、身体とユートピアの関係性について示唆に富む発言を行っている。

フーコーはまず、身体を「それなしでは動くことができないもの」、「それを残して私がよそへと立ち去ることができないもの」として定義する。私の身体は決してよそにはないものであり、その意味でユートピアの反対物であるといえる（ユートピアという語は「どこにもない場所」を意味する)。「毎朝、それは同じ存在であり、同じ傷である[18]」。毎日、鏡に映るのはいつもの顔。「まさしく私の頭というこの醜い容器の中、私が好まないこの牢獄の中にこそ、私は姿を現し、さまよわなければならないのだろう[19]」。

私の身体、それは私がどうしようもなく余儀なくされた場所なのだ。フーコーによれば、ユートピアの物語は、そうした身体に抗するために、言い換えれば身体を消去するために生み出されてきたという。私たちの文脈でいえば、サイバースペースとメタバースはまさしく身体の消去に支えられたユートピア言説であった。そこでは、私は純粋で清浄な魂だけの存在になり、汚れきった私の身体が朽ちて打ち捨てられたのちも魂は永遠に持続するのだ(これとは逆に、死者の身体を永遠化しようとするユートピア的試みはロシア宇宙主義に繫がっていくだろう)。

しかし、とフーコーは言う。私の身体はそう簡単に縮減され、消去されるがままにはならない。

結局のところ身体は、それ自体、固有の幻想の能力を持っている。身体もまた、場所なき場所を、魂より、墓より、魔術師の呪文より深遠で執拗な場所を持っているのだ。それは地下室と屋根裏部屋を、薄暗い居間を、光に満ちた海岸を持っている[20]。

私の身体には私がどうしてもアクセスできない領域が存在する。卑近な例でいえば、私の背中や後頭部を見ることとは、鏡がなければ不可能であるように。私の身体は、私自身の認識では十全に捉えきれない、不透明で不可視な〈もの〉として立ち現れる。「理解不可能な身体、透過的であると同時に不透明な身体、開かれていると同時に閉じられた身体、つまり、ユートピア的身体である」[21]。

私の身体は、突如として私にとって未知の「他」なるものとして、つまりはユートピアとして現出する。「私がユートピアであるためには、私が一つの身体でありさえすれば十分なのだ」[22]。

スピノザが言ったように、「私たちは身体が何をなしうるか知らない」のである。身体、それは汲み尽くせぬ潜在的多様体としてある。そして、そうした潜在的多様体は世界を構成する「ゼロ地点」でもある。フーコーは、身体という「小さなユートピア的核」は世界のどこにも場所を持たず、世界がそれとの関係でのみ構成される――事物が配されるのは身体の周囲にであり、上下、左右、前後、遠近が存在するのは、身体との関係においてである。私の身体、それは「場所を持たないが、まさにそこから、すべてのありうる、現実的な、あるいはユートピア的な場所が生まれ、輝き出すのである」[23]。

私の身体という潜在的多様体を起点として、そこから潜在的多様体としてのユートピアを構成すること。私という未知のアーキテクチャによって、権力というアーキテクチャに抗い、ユートピア的なアーキテクチャを生成すること。

アーキテクチャに抗う私というアーキテクチャ。アーキテクチャによる統御を逸脱するような身体のあり方。それはどのようにして発明可能なのだろうか。それに対する明確な答えを筆者はまだ持たない。だが、身体への問いをひとつの政治として問おうとするならば、単なる自己修養のメソッドに還元されない、身体についての新しい理解を切り拓く必要があるだろう。そのためには、常にここから始めなければならない。逃れることができない、この過酷な身体という場所から。

終章

失われた未来を解き放つ

彼らはオメラスを後にし、暗闇のなかへと歩みつづけ、そして二度と帰ってこない。彼らがおもむく土地は、私たちの大半にとって、幸福の都よりもなお想像にかたい土地だ。私にはそれを描写することさえできない。それが存在しないことさえありうる。しかし、彼らはみずからの行先を心得ているらしいのだ。彼ら――オメラスから歩み去る人びとは。

――アーシュラ・K・ル・グィン「オメラスから歩み去る人々」[1]

私は出ていく――未知へ向かって。これが私の最後の文章だ。さらば、未知の諸君よ、愛する諸君よ。

――ザミャーチン『われら』[2]

不死のレーニン

あまり知られていないことだが、モスクワ赤の広場に建てられたレーニン廟《びょう》の起源にはロシア宇宙主義の理念が深く根を下ろしている。一九二四年一月二六日、ウラジーミル・レーニンが死去してから数日後に開催された第二回全連邦ソビエト大会において、スターリンは追悼演説を行った。「われわれ共産主義者は、特別製の人間である。われわれは特別な物質で造られている。共産主義者の遺体は腐敗しない」[3]。

レーニンの遺体には防腐処置が施され、葬儀委員会はレーニンの遺体を無期限に保存すると決定した。遺体の永久保存の監督を委任されたレオニード・クラシン（外国貿易人民委員）は、建神主義やボグダーノフ理論の擁護者であるだけでなく、死者の復活というフョードロフが唱えた宇宙主義プロジェクトの影響を受けていた。彼は一九二一年に次のように書いている。

レーニン廟

私は、科学が万能になり、死んだ生物を再生させることができる時がやがて来ると確信している。人間の肉体を再生し、［……］そして偉大な歴史的人物を蘇らせるために個人の生命の一部を利用することのできる時がやがて来る、と確信している。[4]

かくして葬儀委員会は不死化委員会と改称し、クラシンと科学者チームは当時先端の技術を駆使した遺体冷凍システムを作動させた。レーニン廟は、その建築様式において、紀元前にファラオを埋葬したエジプトのピラミッドや古代の霊廟のイメージを彷彿とさせるものだった（奇しくもレーニンが死去する一五カ月前にツタンカーメンの墓が発見されていた）。古代の儀式が近代の科学技術と結びつく。古代のエジプト人は指導者の遺体を保存することができたが、その容貌の保存まではできなかった。しかし、レーニンの遺体は永遠に損なわれない。レーニンは「死」に対して勝利するのだ。

飼いならされる大衆のユートピア

レーニン廟、それはロシア宇宙主義のプロジェクトの現実世界への数少ない応用例のひとつであった。だが、それは取りも直さず、工学テクノロジーによる死の克服という、近代＝モダニティが生み出した大衆ユートピアを、革命政府の正当性＝正統性を承認するためのプロパガンダとしてレーニンの遺体とともに閉じ込めることをも意味していた。

レーニン自身、生前はモスクワ中に革命的な記念碑を建てる構想に熱中していた。人民は街中を歩き回るたびに、さながら複合現実（ＭＲ）のように、都市空間の上に投影された革命の「歴史」を見ることになるのだ。しかし、こうした「記念碑プロパガンダ」によるヘゲモニー支配の傍らで、他ならぬ大衆のユートピア主義はひたすら窒息させられていった、と指摘するのは『夢の世界とカタストロフィ』の著者スーザン・バック＝モースである。彼女は同書のなかで次のように述べている。

一〇月事件にたいする大衆の支持は存在していたが、それは一致した心情ではなかった。千年王国論者、アヴァンギャルド、そしてあらゆる種類のユートピア主義者たちは、革命の未来を自分たちのものと熱心に考えていた。ボリシェヴィズムはこうしたすべての人々に語りかける必要があったし、彼らの願望を歴史の連続性のなかで組み立てると同時に、彼らの力を封じ込めたのである。多彩な言説のユートピア的な次元は、革命史の時間的な物語のなかに挿入される過程で、束縛され、縮小されていった。[5]

集団的に育まれる多様で雑多なユートピアの夢は、革命政府が誇示する「革命の時間」という線的な軌道の「歴史」に回収され、飼いならされていく。革命に先立つ一〇年間は、ロシアのなかでもユートピア言説が盛んに飛び交った時代であった。翻訳された西側のＳＦ小説が大量に流入してくるとともに、空中を飛行する飛行機は大気圏外への想像力を人々に与え、新しい工業テクノロジーは未来主義詩人たちに、人間の身体を拡張させる有機的な力というヴィジョンを授けた。一九二〇年には、クレムリンでレーニンと英国からはるばるロシアを訪れていた近代ＳＦの父、Ｈ・Ｇ・ウェルズが対談を行っている（ちなみにレーニンはヘッケルの愛読者でもあった）。だが、ボリシェヴィキ革命は、こうした大衆的／芸術的なユートピア主義がもたらすエネルギーを政治的なプロジェクトに向け変えさせることでユートピアへの衝動を我有化した。[6]

当時のロシア・アヴァンギャルド芸術に象徴されるように、彼らは新しい「未来」の到来を予告したが、やって来るはずのものは未決定な複数の可能性の空間、すなわち「未知」に向けて開かれていた。だが、前衛党がこの可能性の空間を占拠すると、それは革命というただひとつの時間に翻訳された。その時間は単線的な「進歩」の観念に根ざしており、未来はあらかじめ決定されていた。レーニンの死後、記念碑とレーニン廟は、前衛党の歴史＝過去と未来を、不滅＝普遍＝正統なものとするためのプロパガンダとして機能することで、集団が夢見る可能性の空間としての「未来」を植民地化した。あらゆるユートピアの夢はレーニンの遺体とともに氷のように凝結してしまい、今では顧みられることもない。続くスターリン体制のもとで、芸術は未到の未来を描くのではなく、現状を正当化させるための「まやかしの現実」を描くものへと変容していった（社会主義リアリズム）。そこでは、ユートピアの「夢」は抑圧という「現実」に転化するのだ。

資本主義と社会主義は生き別れの兄弟

バック＝モースはそれまでの通念に異を唱え、ロシアに生まれた社会主義のプロジェクトは資本主義に根源を持つ、と主張した。レーニンによる「社会主義とは、ソビエトプラス電化である」という名高いテーゼにもあるように、社会主義はそのはじめから近代西洋のテクノロジーとその思考法を根拠に置いていた。社会主義の建設の成否は、テイラーの「科学的管理法」を筆頭とする、資本主義が拠って立つ近代的マネジメント・システムを導入することができるかどうかにかかっているとみなされた（事実、スターリンの工業化計画はアメリカのエンジニアと資金によって設計・実行された）。結果、資本主義に内在していた搾取構造の矛盾をソビエトもまた抱え込むことになる。だが同時に、矛盾を克服するためのユートピア構想もまたそこから登場してくる。たとえば、私たちがすでに見てきた、ボグダーノフ『赤い星』におけるオートメーション社会の夢。それは奇妙にも、資本主義圏において現在隆盛を見せつつある、ＡＩに基づくオートメーション論をある面で先取りしているようでもあり……。[7]

二〇世紀初頭、西洋もソビエトも共に産業的近代化のイデオロギー、言い換えれば大衆ユートピアの建設という夢を共有していた。その意味では、両者は共に近代（モダニティ）に属していた、生き別れの兄弟のようでもある。冷戦の終結とソビエトの崩壊は、資本主義を克服する試みであったはずの社会主義が潰え去ったことに対する幻滅を人々にもたらした。それは垣間見えていたユートピアの最終的な破算であり、夢からの半ば暴力的な覚醒であった。とはいえバック＝モースは、東西冷戦に西側が勝利した、という流布された「大きな物語」にも抗う。彼女によれば、上述したようにソ連社会主義体制の構築は西側資本主義における近代化の理念に深く依存しており、したがって社会主義体制の崩壊は不可避的に西側の工業的近代化＝進歩という物語全体の信用が危ぶまれる事態を引き起こさざるを得ないという。私たちはすでに、一九世紀後半を境に出立してきたふたつの主題、すなわち「進化」と「ネットワーク」について見てきた。それはどちらも西洋に端を発するものであるが、進化論とグローバルなネットワーク観が交叉するところに、テイヤール・ド・シャルダンの「精神圏」やウラジーミル・ソロヴィヨフの「世界魂」と「神人」といった、それまでと異なるタイプのヴィジョンが現れてきた。これらのヴィジョンがフョードロフのロシア宇宙主義と共振し合いながら、「不死のレーニン」という二〇世紀のツタンカーメンを誕生させたのである。

スラヴ派やユーラシア主義者たちもまた、常に西欧に目を向けながら、だが同時に西欧＝近代を超克することにこそ、自らの思想の賭金を置いたのであった。だが、ここには避けがたいジレンマがある。というのも、西欧＝近代を超克せんとするとき、そこにはすでに西欧＝近代という想像的な他者が前提とされているからだ。そして、その想像的な他者とは、往々にして鏡に映った自分自身でありうる。かくして、西欧＝近代を超克する試みは近代の終わりなき弁証法的プロセスに組み込まれてしまう。現在も続くウクライナ戦争は、この近代の弁証法的プロセスが未完であることの証左に他ならない。

排除されるもの

同様に、一九世紀におけるヘッケルの一元論的なヴィジョンと、電信の発達に伴うグローバルな疑似同期が喚起させる「単一の人類」という表象は、近代の単一性というイデオロギーを強化すると同時に、その外部を不可視にさせた。見ようによっては、この「単一の人類」という表象は、第3章で取り上げた『WEC』の創刊者スチュワート・ブランドによって完成された。一九六六年、ブランドはNASAが宇宙船から地球を撮影した写真がこれまで非公開であることに気づいた。彼は地球の写真開示運動を始め、それはNASAにも届いた。そして二年後の一九六八年、アポロ宇宙船が月から地球を撮影した初めての写真が公表された。この地球の写真を、ブランドは『WEC』創刊号の表紙にした。「全地球」というヴィジョンは、単一の地球＝単一のヒューマンという尺度《スケール》で物事を考えることを人々にうながした。だが、当然そこからこぼれ落ちる者たちも存在する。たとえば、サン・ラーはそうした地球に背を向け、地球の外部に遍在する広大な銀河系、宇宙という無限に広がる闇の空間を目指したのではなかったか。もちろん、それはイーロン・マスクらビリオネアたちが植民地化の欲望とともに宇宙へと出港するのとは根源的に異なる衝動に駆られて、である。

写真に焼き付けられた地球の姿は、どこか廟の中で凍りついたように眠るレーニンを思わせる。どちらも、記憶の外へと忘れ去られたユートピアの痕跡、今では動きを止めてしまったユートピアへの欲望が封じ込められている、という意味において。だが、それらは今も息を潜めながら生きているに違いないのである。

サイバースペース／メタバースの構想は、身体を、そして六〇年代の政治的ラディカリズムを暗に排除した。身体と政治的ラディカリズム、それは間違いなくユートピアへのもうひとつの欲望と衝動であった。サイバースペースというユートピアはひとつの無意識的な挫折の上に築かれている。それはこの現実でのユートピアの実現である。政治運動のトラウマ的挫折を抑圧し、忘却したところにサイバースペースは打ち立てられる。サイバースペースも情報技術も、カウンターカルチャーの約束を果たさなかった。サイバースペース、それは抑圧されたユートピアの欲望（＝カウンターカルチャーの約束）に直面しないためのユートピアなのである。サイバースペース／メタバースのユートピアすらも無意識のうちに忘却の彼方に捨て去っていた、未だ実現＝救済されていないユートピア的可能性の数々。だが、それらは不気味なものを伴って回帰してくる。

「未来」の亡霊

一九八一年、ウィリアム・ギブスンは「ガーンズバック連続体」という短篇作品を発表している。長篇『ニューロマンサー』を発表する三年前である。「ガーンズバック連続体」は、執筆当時の現代にあたる八〇年代を舞台にしている。主人公はカメラマンで、アメリカの三〇年代、四〇年代に建てられた〝未来的〟な建造物を写真に収める仕事を請け負うことから物語は始まる。その〝未来的〟な建造物は、当時活躍していた工業デザイナーのノーマン・ベル・ゲデスの手による流線型のデザインに象徴されるような、今でいうところのレトロフューチャーなものが多い。クローム管の椅子や流線型のビルディング、ブーメランのようなプロペラ式旅客機など、三〇年代アメリカの集合的無意識の夢が生み出した、はかない代物、現代から見捨てられた夢の国のかけら。

　その当時の大衆が求めていたのは「未来」のイメージだった。ギブスンは登場人物のひとりに次のように言わせている。「こう考えてみてよ。一種のもうひとつのアメリカだ、そうはならなかった一九八〇年だって。破れた夢の建築だって」[8]。失われた未来。ありえたはずの（だが決して訪れることはなかった）、もうひとつのアメリカ。主人公が、そうした三〇年代当時における未来（八〇年代）のヴィジョンを仮託した夢の残骸をカメラに収めていくうちに、集合的無意識としての、忘れ去られた集団的な夢としての失われた未来の幻視的イメージが、さながら並行世界《パラレルワールド》のように八〇年代の現実世界に幻覚的に侵入してくる。

そんなある日、ボリーナスの郊外で、ミンの好戦建築の中でもとりわけ贅沢なものを撮ろうと支度しているとき、ぼくは薄い膜を突き破ってしまった。蓋然性という膜を――このうえなくゆるやかに、ぼくは〝一線〟を越え――

見上げたとき眼にはいったのは、十二発の脹れたブーメランのような代物で、全体が翼をなし、轟々と巨像のような優美さで東に向かっていく。あまりに低空なため、そいつの鈍い銀色の表面の、リヴェットの数すらかぞえられそうなうえ――たぶん――ジャズの残響まで聞こえた。[9]

一九二〇～三〇年代当時において集合的に想像されていた来るべき未来のイメージが八〇年代の現在にまるで連続体として、言い換えれば不気味なものとして侵入してくる。結局実現しなかった〈大衆の夢〉のかけらが、当時の建造物に亡霊のように残存していて、それが記号論的亡霊として現在に回帰してくる。

八〇年代の意匠やサイバーパンクなイメージへのノスタルジックな参照はヴェイパーウェイヴやシンセウェイヴの得意とするところだが、他ならぬサイバーパンクの巨匠が八〇年代にヴェイパーウェイヴ的（？）な作品をすでに書いていた、という事実は興味深い。だが同時に、「ガーンズバック連続体」では、そうした失われた未来の並行世界が、ある種ファシズム的なイメージとしても表象されている点には注意が必要だろう。

ぼくの背後の光り輝く都市では、サーチライト群が、ただ楽しみたいがために空を掃く。ぼくは想像してみた。この人々が、白大理石の広場で整然と敏捷に、群れをなすところを。その眼は、投光照明の大道や銀色の車に夢中で、明るく輝いている、と。
ヒトラー・ユーゲントの宣伝に通じる、凶々しい甘やかさに満ちていた。[10]

集団的願望が築いた夢の実現としての全体主義の回帰、その禍々しい甘美さ……。ともあれ、ここにはギブスンの一種独特な批評的距離の取り方が伺えるようにも思える。

二種類のノスタルジー

過去へのノスタルジックな潜航と、失われた未来を現在へと解き放つこと。それは、ともすれば単に打ち捨てられるべき反動的なものを歴史から拾い上げるだけの不毛な（もっと言えば危険な）企てに終わるにすぎないのだろうか。

この点に関して、ソ連からアメリカに亡命した比較文学者スヴェトラーナ・ボイムの『ノスタルジーの未来（The Future of Nostalgia：未邦訳）』という書物が示唆に富むヒントを与えてくれる。ボイムは同書のなかで、「ノスタルジー」を二つに分けるという作業を行っている。すなわち、〈復古的ノスタルジー〉(Restorative nostalgia)と〈リフレクティヴ・ノスタルジー〉(Reflective nostalgia)である(〝Reflective〟という単語には反照、反省、省察、黙想的な、等の意味がある)。

前者の〈復古的ノスタルジー〉は、喪失したアイデンティティの再発見や、失われた国民的共同体や故郷の再発見を意志するノスタルジーで、かつて存在した秩序体制を今ここの現在にそのまま再生し自己との一体化を企てるという点で反動右派的なノスタルジーといえる(ファシズム的欲望もここに含まれるだろう)。

それに対して、後者の〈リフレクティヴ・ノスタルジー〉は、必ずしも没落した帝国や旧体制に対するノスタルジーを意味しない。むしろ、それはたとえば、実現されなかった過去の夢、時代遅れになった未来のヴィジョンに対するノスタルジーでありうる、とボイムは述べている。〈リフレクティヴ・ノスタルジー〉は、新しさや技術の進歩とは異なる、未だ実現されていない可能性や予測できない転回や岐路を求めて近代を振り返ることを可能にするかもしれない。ひとつの筋書きを追うのではなく、一度に多くの場所に住み、異なる時間帯を想像する方法を探求する〈リフレクティヴ・ノスタルジー〉は、回顧的なものであると同時に前向き=未来的なものでもありうる。象徴ではなくディテールを愛する〈リフレクティヴ・ノスタルジー〉はまた、粉々になった記憶の断片を大切にしながら、同時に対象との距離を不断に意識化しておく。それは、過去に惹かれながらも、そこに到達（＝帰郷）するのを最大限まで遅らせようとする、逆説的かつアイロニカルな態度でもある。[11][12]
〈リフレクティヴ・ノスタルジー〉は、ボイムが同書の中で提示しているもうひとつのキータームである〈オフ・モダン〉（Off-modern）なる戦略とも大なり小なり関わってくるだろう。ボイムによれば、〈オフ・モダン〉における副詞の〝オフ〟は私たちの方向感覚を混乱させ、進歩の一本道はほどけかかった螺旋状を描き出し、かくして私たちを近代の仄暗い脇道や路地裏に誘っていく。〈オフ・モダン〉は、近代における進歩が見せる新しさへの憧憬とも、近代的な伝統の復古的な再発明とも、どちらからも批判的な距離を取る。過去の異なる時代と線を越えながら、現在を不意打ちすること。[13]

近代の夢を救い出す

こうした近代に対するアプローチは、部分的にヴァルター・ベンヤミンやエルンスト・ブロッホによるそれを思い起こさせるものだ。歴史の瓦礫の中に眠っている、資本主義のヘゲモニーによって実現の道を閉ざされた数々の解放と自由への集団的な夢、それは夢の形象のようにフロイト的な変形を加えられて現在のショーウィンドウに並んでいたりするのだが、たとえばブロッホなどは、こうした数々の忘れ去られた未来への夢を、「まだ意識されていない」存在として具体的日常のなかに発見し、意識化していくというアプローチを採った。「もはや意識されていないもの」と「まだ意識されていないもの」を発見し、それらをモンタージュのように組み合わせて、今こうである現在とは異なる方向へと構成していくこと[14]。

　夢の中で、自分でも忘れていた幼少時代の記憶と不意に再会することがある。失われた記憶を意識化するためには夢の中に降りていかなければならない。目を見開いたまま。さながら、不眠の傍らで夢を見るように。そうやって、私たちは夢という空間《スペース》を「占拠」することを試みるのだ。

　過去は生きている。失われた記憶として。無数の別の可能性をもつ集団的な夢として。それは目覚めさせることのできる死者である。死者の復活というプロジェクト、それは他ならぬ過去それ自体に対してこそ試行されなければならない。

　近代を乗り越えるのではなく、近代の夢（ただし近代自身すら必ずしも十分に意識化することのなかった夢）を救い出すことによってユートピアは達成されるのかもしれない。ソビエトは、この近代の夢を西洋のテクノロジーとアメリカの資本によって救出しようと企てて失敗した（あるいはもっと別の原因で？）。ならば、私たちは別の組み立て方（モンタージュ）を試すべきだ。近代を構成していた要素をバラバラに分解し、個々の部品を精査し、別の組み立て方の可能性を探索すること。こうしたアプローチによってはじめて、近代の弁証法的プロセスの外部に抜け出すことができるのだとしたらどうだろう。

　時間の流れとともに忘れ去られていった、実現されなかった可能性や失われた夢。瓦礫と塵埃の中からそれらの破片を掘り起こして未来の消失点から差し込んでくる一条の光に反照《リフレクト》させんとする営為こそは、未来を想像することのできないノーフューチャーな現在において意味を持ちうるのではないだろうか。

注

まえがき

1 アーシュラ・K・ル＝グウィン『世界の果てでダンス――ル＝グウィン評論集』篠目清美訳、白水社、一九九七年、一五二頁
2 https://cnn.co.jp/fringe/35208323.html
3 ウォルター・アイザックソン『イーロン・マスク（上）』井口耕二訳、文藝春秋、二〇二三年、一四二頁
4 M・H・ニコルソン『月世界への旅』高山宏訳、国書刊行会、一九八六年、二九頁
5 マルクーゼ『ユートピアの終焉――過剰・抑圧・暴力』清水多吉訳、中公クラシックス、二〇一六年、四頁
6 見田宗介『未来展望の社会学』岩波書店、二〇一二年、二五頁
7 前掲書『世界の果てでダンス』、一四六頁
8 https://www.thedailybeast.com/elon-musks-secret-obsession-with-human-extinction-explains-everything-hes-doing
9 前掲書『世界の果てでダンス』、一四六頁、一六七頁
10 同右、一五四〜一五五頁

第1章

1

1 カール・マンハイム『イデオロギーとユートピア』高橋徹・徳永恂訳、中央公論新社、二〇〇六年、三三九頁
2 フレドリック・ジェイムソン『未来の考古学 第一部 ユートピアという名の欲望』秦邦生訳、作品社、二〇一一年、九頁
3 https://mediationsjournal.org/articles/end-of-world

4 https://web.archive.org/web/20200614113007/https://catsystemcorp.bandcamp.com/album/palm-mall-mars

5 デヴィッド・グレーバー『官僚制のユートピア――テクノロジー、構造的愚かさ、リベラリズムの鉄則』酒井隆史訳、以文社、二〇一七年、一五〇～一五一頁

6 木澤佐登志『ニック・ランドと新反動主義――現代世界を覆う〈ダーク〉な思想』星海社新書、二〇一九年、二一八頁

7 同右、二一七頁

8 前掲書『官僚制のユートピア』、一九九頁

9 前掲書『官僚制のユートピア』、二〇九頁

10 佐藤正則「革命と哲学――世紀転換期ロシアにおけるマルクス主義者たちの哲学的模索と論争」『ユーラシア世界3　記憶とユートピア』東京大学出版会、二〇一二年、五五頁

11 沼野充義『ユートピア文学論――徹夜の塊』作品社、二〇〇三年、四四～五一頁

12 同右、四三頁

13 佐藤正則『ボリシェヴィズムと〈新しい人間〉――20世紀ロシアの宇宙進化論』水声社、二〇〇〇年、七八～七九頁

14 同右、八〇～八二頁

15 同右、七六頁

16 同右、八四頁

17 同右、八三頁

18 同右、八四頁

19 ボリス・グロイス『ケアの哲学』河村彩訳、人文書院、二〇二三年、一七八～一七九頁

20 前掲書『ボリシェヴィズムと〈新しい人間〉』、三四～三五頁

21 前掲書『ユーラシア世界3』、七三頁

2

1 カート・ヴォネガット・ジュニア『スローター

ハウス5』伊藤典夫訳、ハヤカワ文庫SF、一九七八年、一〇四頁
2 ドストエフスキー『カラマーゾフの兄弟5 エピローグ別巻』亀山郁夫訳、光文社古典新訳文庫、二〇〇七年、六二頁
3 佐藤恵子『ヘッケルと進化の夢――一元論、エコロジー、系統樹』工作舎、二〇一五年、一八八頁
4 同右、一〇三頁
5 同右、二〇五頁
6 同右、三一三～三一四頁
7 同右、二〇二～二〇三頁
8 トム・スタンデージ『ヴィクトリア朝時代のインターネット』服部桂訳、NTT出版、二〇一一年、五一～五二頁
9 同右、六二頁
10 同右、一一二～一一三頁
11 同右、八四～九四頁
12 前掲書『ボリシェヴィズムと〈新しい人間〉』、八七頁
13 入江哲朗『火星の旅人――パーシヴァル・ローエルと世紀転換期アメリカ思想史』青土社、二〇二〇年、二三八～二三九頁
14 同右、二〇四～二〇六頁
15 スヴェトラーナ・セミョーノヴァ『フョードロフ伝』安岡治子・亀山郁夫訳、水声社、一九九八年、三四～三六頁
16 同右、四〇～四一頁
17 同右、四一～四六頁
18 同右、四九～五六頁
19 S・G・セミョーノヴァ＋A・G・ガーチェヴァ編著『ロシアの宇宙精神』西中村浩訳、せりか書房、一九九七年、九九頁
20 同右、九七頁
21 前掲書『フョードロフ伝』、一四四～一四七頁
22 同右、一五六～一六二頁

23 同右、一七八～一七九頁
24 同右、一八〇頁
25 前掲書『ロシアの宇宙精神』、一一六頁
26 前掲書『フョードロフ伝』、一八八～一九二頁
27 同右、二一〇～二一一頁
28 同右、二一八頁
29 前掲書『ロシアの宇宙精神』、四八～四九頁
30 同右、一〇七頁

3

1 フレドリック・ジェイムソン『未来の考古学 第二部 思想の達しうる限り』秦邦生他訳、作品社、二〇一二年、九三～九四頁
2 Bernstein, Anya. The Future of Immortality: Remaking Life and Death in Contemporary Russia, Princeton University Press、Kindle版、p.1
3 チャールズ・クローヴァー『ユーラシアニズム――ロシア新ナショナリズムの台頭』越智道雄訳、NHK出版、二〇一六年、二七八頁
4 同右、二七八～二七九頁
5 梶雅範「ウラジーミル・ヴェルナツキイの生涯と業績」、ヴラジーミル・イヴァノヴィチ・ヴェルナツキイ『ノースフェーラ――惑星現象としての科学的思考』梶雅範訳、水声社、二〇一七年、四二〇～四二三頁
6 前掲書『ユーラシアニズム』、二七九頁
7 https://en.wikipedia.org/wiki/Essence_of_Time_(movement)
8 前掲書 The Future of Immortality、p.2
9 同右、pp.2-3
10 マーク・オコネル『トランスヒューマニズム――人間強化の欲望から不死の夢まで』松浦俊輔訳、作品社、二〇一八年、一七頁
11 https://www.theguardian.com/technology/2023/jun/04/elon-musk-neuralink-approved-

human-testing-concern
12 前掲書『トランスヒューマニズム』、三四〜三九頁
13 前掲書 The Future of Immortality、p.4
14 同右、p.13
15 同右、pp.18-19
16 同右、p.24
17 同右、p.166
18 同右、pp.169-170
19 同右、p.167
20 同右、pp.172-173
21 同右、pp.178-180
22 http://government.ru/news/18433/

4

1 オクテイヴィア・E・バトラー『血を分けた子ども』藤井光訳、河出書房新社、二〇二二年、二四四頁
2 カーソン・マッカラーズ『マッカラーズ短篇集』ハーン小路恭子編訳、ちくま文庫、二〇二三年、一七一頁
3 高野雅之『ロシア思想史――メシアニズムの系譜』早稲田大学出版部、一九九八年（新装版）、一四〜二四頁
4 同右、三六〜三七頁
5 セルゲイ・レヴィーツキイ『ロシア精神史――哲学と社会思想の流れ』高野雅之訳、早稲田大学出版部、一九九四年、二一〜二二頁
6 前掲書『ロシア思想史』、四二〜四九頁
7 同右、五六〜六七頁
8 同右、六八頁
9 前掲書『ロシア精神史』、四六〜五〇頁
10 同右、五三〜五七頁
11 同右、六二〜六六頁
12 前掲書『ロシア思想史』、一五五〜一五六頁
13 浜由樹子『ユーラシア主義とは何か』成文社、

二〇一〇年、六九～七〇頁
14 同右、七二～七四頁
15 加賀野井秀一『20世紀言語学入門——現代思想の原点』講談社現代新書、一九九五年、六四～六九頁
16 前掲書『ユーラシア主義とは何か』、七七頁
17 同右、七八～八〇頁
18 同右、一八五～一九一頁
19 同右、一一～一二頁
20 乗松亨平「ポストモダン右翼は哲学の夢をみるか?——アレクサンドル・ドゥーギンの理論と実践」、『現代思想　2021年6月号』青土社、二〇二一年、八八～九〇頁
21 畑山敏夫『フランス極右の新展開——ナショナル・ポピュリズムと新右翼』国際書院、一九九七年、一六四～一六六頁
22 https://altright.com/author/alexanderdugin/
23 https://thinkprogress.org/the-white-nationalist-movements-favorite-philosopher-42576bc50666/
24 マルレーヌ・ラリュエル「運命としての空間——地理と宇宙をとおしたロシア帝国の正当化」平松潤奈訳、『ゲンロン7』ゲンロン、二〇一七年、一一九頁
25 同右、一二〇頁
26 同右、一一七頁
27 前掲書『ユーラシア主義とは何か』、二三六～二三八頁
28 クリントン・ゴダール『ダーウィン、仏教、神——近代日本の進化論と宗教』碧海寿広訳、人文書院、二〇二〇年、一八五～一八六頁
29 同右、一九四頁
30 奥村大介「宇宙と国粋——三宅雪嶺のコスミズム」、『明治・大正期の科学思想史』勁草書房、二〇一七年、二二三頁
31 同右、二二二頁
32 同右、二四〇～二四三頁
33 同右、二四四～二五二頁

第2章

1

1 ガブリエル・アンチオープ『ニグロ、ダンス、抵抗――17～19世紀カリブ海地域奴隷制史』石塚道子訳、人文書院、二〇〇一年、七頁

2 今福龍太「文庫版解説 いくつものルネサンス」、ゾラ・ニール・ハーストン『ヴードゥーの神々――ジャマイカ、ハイチ紀行』常田景子訳、ちくま学芸文庫、二〇一一年、四三八～四三九頁

3 小林拓音「黒い年代記」、『別冊 ele-king ブラック・パワーに捧ぐ』Pヴァイン、二〇二〇年、一三八頁

4 同右、一一五～一一六頁

5 前掲書『ニグロ、ダンス、抵抗』、一九七頁

6 「インタビュー ジェフ・ミルズ――記憶、そして未来へのオマージュ（三田格）」、前掲書『別冊 ele-king ブラック・パワーに捧ぐ』、八三～八四頁

7 藤永茂『『闇の奥』の奥――コンラッド・植民地主義・アフリカの重荷』三交社、二〇〇六年、八五～八六頁

8 ジョン・F・スウェッド『サン・ラー伝――土星から来た大音楽家』湯浅学監修、湯浅恵子訳、河出書房新社、二〇〇四年、九九頁

9 同右、一二一～一二二頁

10 同右、二五五～二五九頁

11 同右、二六〇頁

12 https://en.wikipedia.org/wiki/Afrofuturism

13 https://www.sapporo-posse.com/mothership1/

14 野田努『ブラック・マシン・ミュージック――ディスコ、ハウス、デトロイトテクノ』河出書房新社、二〇〇一年、三八九頁

15 「デジタル時代のヒューマニスト・ディアスポラ――チーノ・アモービ、インタビュー」、

16 『ele-king vol.22』Pヴァイン、二〇一八年、一一八頁
高橋勇人「周縁から到来する非直線形——アフロフューチャリズムの思想的背景と議論」、同右、一一二頁

2

1 フィリップ・K・ディック『フィリップ・K・ディックのすべて——ノンフィクション集成』飯田隆昭訳、ジャストシステム、一九九六年、三四九頁
2 デイヴィッド・カッツ『People Funny Boy : The Genius of Lee "Scratch" Perry』森本幸代訳、JD MEDUSA、二〇〇八年、三六八頁
3 ジョン・S・ムビティ『アフリカの宗教と哲学』大森元吉訳、法政大学出版局、一九七〇年、一八頁
4 同右、一八～二四頁
5 同右、二四頁
6 同右、二五頁
7 同右、二六～二八頁
8 同右、二九頁
9 同右、二九頁
10 前掲書『People Funny Boy』、一頁
11 同右、六頁
12 ビル・ブルースター、フランク・ブロートン『そして、みんなクレイジーになっていく——DJは世界のエンターテインメントを支配する神になった』島田陽子訳、プロデュース・センター出版局、二〇〇三年、一七二～一七四頁
13 前掲書『People Funny Boy』、九～一〇頁
14 前掲書『そして、みんなクレイジーになっていく』、一七〇～一七一頁、一八四～一八五頁
15 同右、一八七～一八九頁
16 マイケル・E・ヴィール『DUB論』森本幸代訳、サンクチュアリ出版、二〇一〇年、二〇九

〜二一〇頁
17 同右、二二〇頁
18 前掲書『People Funny Boy』、五四頁
19 河上徹太郎・竹内好ほか『近代の超克』冨山房、一九七九年、一八七〜一八八頁
20 前掲書『People Funny Boy』、四二四頁
21 前掲書『DUB論』、二二一〜二二二頁
22 レオナルド・サスキンド『ブラックホール戦争——スティーヴン・ホーキングとの20年越しの闘い』林田陽子訳、日経BP、二〇〇九年、一七一頁
23 同右、一八七〜一八九頁
24 同右、三六〇〜三六四、四九〇頁
25 前掲書『People Funny Boy』、四四一〜四四二頁

3

1 ジル・ドゥルーズ、フェリックス・ガタリ『アンチ・オイディプス——資本主義と分裂症（下）』宇野邦一訳、河出文庫、二〇〇六年、一二〇頁
2 菊地成孔、大谷能生『M／D——マイルス・デューイ・デイヴィスⅢ世研究（下）』河出文庫、二〇一一年、七〇〜七二頁
3 同右、四九〜五二頁
4 マイルス・デイビス、クインシー・トループ『マイルス・デイビス自叙伝〈2〉』中山康樹訳、宝島社文庫、一九九九年、一一三頁
5 前掲書『M／D（下）』、五二頁
6 同右、一四六頁
7 前掲書『マイルス・デイビス自叙伝〈2〉』、一八一頁
8 デイヴ・トンプキンズ『エレクトロ・ヴォイス——変声楽器ヴォコーダー／トークボックスの文化史』新井崇嗣訳、スペースシャワーネットワーク、二〇一二年、一一頁

9 同右、四六～四七頁
10 同右、四九～五〇頁
11 同右、六七～六八頁
12 同右、六八～六九頁
13 同右、一一九～一二〇頁
14 同右、一二一～一二三頁
15 同右、一三二～一三三頁
16 前掲書『M／D（下）』、二二八頁
17 スチュアート・シム『リオタールと非人間的なもの』加藤匠訳、岩波書店、二〇〇五年、四八～五〇頁
18 同右、五八～六〇頁

第3章

1

1 ブルース・スターリング、ウィリアム・ギブスン「赤い星、冬の軌道」小川隆訳、ブルース・スターリング編『ミラーシェード――サイバーパンク・アンソロジー』小川隆・他訳、ハヤカワ文庫SF、一九八八年、四二八頁
2 ブルース・スターリング「序文」小川隆訳、同右、八～九頁
3 Turner, Fred. From Counterculture to Cyberculture: Stewart Brand, the Whole Earth Network, and the Rise of Digital Utopianism. University of Chicago Press、Kindle 版、Kindle の位置 No.207-212
4 前掲書『ミラーシェード』、九頁
5 永野良博『トマス・ピンチョン――帝国、戦争、システム、そして選びに与れぬ者の生』三修社、二〇一九年、八頁
6 ウィリアム・ギブスン『ニューロマンサー』黒丸尚訳、ハヤカワ文庫SF、一九八六年、一〇二頁
7 前掲書 From Counterculture to Cyberculture、Kindle の位置 No.2465-2473

8 同右、Kindleの位置No.2488-2497

9 赤田祐一「『ホール・アース・カタログ』のできるまで」、『スペクテイター〈29号〉ホール・アース・カタログ〈前篇〉』幻冬舎、二〇一三年、五六頁

10 池田純一『ウェブ×ソーシャル×アメリカ――〈全球時代〉の構想力』講談社、二〇一一年、一一〇頁

11 同右、九九頁

12 喜多千草『インターネットの思想史』青土社、二〇〇三年、三一～三四頁

13 前掲書 From Counterculture to Cyberculture、Kindleの位置No.600-603

14 同右、Kindleの位置No.135-138

15 https://www.eff.org/ja/pages/crime-and-puzzlement

16 同右

17 同右

18 ハワード・ラインゴールド『バーチャル・リアリティ――幻想と現実の境界が消える日』沢田博監訳、田中啓子・宮田麻未訳、ソフトバンククリエイティブ、一九九二年、二二七～二二八頁

19 Lanier, Jaron. Dawn of the New Everything: Encounters with Reality and Virtual Reality. Henry Holt and Co.、Kindle版、pp.24-25

20 同右、pp.23-24

2

1 https://www.youtube.com/watch?v=xym6yLUncNY

2 https://www.fnn.jp/articles/-/443490

3 R・ヴェンチューリ他『ラスベガス』石井和紘・伊藤公文訳、鹿島出版会、一九七八年、七二～七三頁

4 同右、七四頁

5　ナターシャ・ダウ・シュール『デザインされたギャンブル依存症』日暮雅通訳、青土社、二〇一八年、六三頁
6　同右、六四頁
7　同右、六四～六五頁
8　同右、五六頁
9　前掲書『ニューロマンサー』、一四～一五頁
10　いよわ feat. 初音ミク・flower「さよならジャックポット」
11　前掲書『デザインされたギャンブル依存症』、七一頁
12　同右、七五頁
13　同右、七五頁
14　同右、七七頁
15　バラス・F・スキナー「人間とは何か」山口尚訳、『自由意志　スキナー／デネット／リベット』岩波書店、二〇二〇年、三六頁
16　ウィリアム・T．オドノヒュー、カイル・E．ファーガソン『スキナーの心理学――応用行動分析学（ABA）の誕生』佐久間徹監訳、二瓶社、二〇〇五年、八〇頁
17　前掲書『デザインされたギャンブル依存症』、一五六～一五七頁
18　前掲書『スキナーの心理学』、九二頁
19　同右、六二頁
20　前掲書『自由意志　スキナー／デネット／リベット』、七四～七五頁
21　同右、六三頁
22　前掲書『スキナーの心理学』、二一九頁
23　同右、二一一～二一二頁
24　同右、二〇三頁
25　SparkNotes.Walden Two. Spark、Kindle 版、Kindle の位置 No.272-279

3

1　トマス・ピンチョン『ブリーディング・エッ

ジ』佐藤良明・栩木玲子訳、新潮社、二〇二一年、六一九頁
2 ウィリアム・ギブスン『モナリザ・オーヴァドライヴ』黒丸尚訳、早川書房、一九八九年、四六四頁
3 樋口恭介「ボーイズクラブ」（未発表）
4 ショシャナ・ズボフ『監視資本主義――人類の未来を賭けた闘い』野中香方子訳、東洋経済新報社、二〇二一年、四〇三頁
5 同右、四一二頁
6 アレックス・ペントランド『ソーシャル物理学――「良いアイデアはいかに広がるか」の新しい科学』小林啓倫訳、草思社、二〇一五年、二六～二八頁
7 同右、三九頁、九八頁
8 前掲書『監視資本主義』、四八七頁
9 同右、四九八頁
10 同右、七三頁
11 山本龍彦「個人化される環境――「超個人主義」の逆説？」、松尾陽編『アーキテクチャと法――法学のアーキテクチュアルな転回？』弘文堂、二〇一七年、七〇～七二頁
12 前掲書『デザインされたギャンブル依存症』、二一六頁
13 同右、二一七～二一八頁
14 同右、二二九～二三〇頁
15 エーリッヒ・フロム『自由からの逃走　新版』日高六郎訳、東京創元社、一九五二年、一八四頁
16 同右、一八五頁
17 同右、一八六頁
18 https://www.youtube.com/watch?v=2zfqw8nhUwA
19 Fisher, Mark. Postcapitalist Desire. Watkins Media、Kindle版、p.40
20 長澤均『パスト・フューチュラマ――20世紀モ

ダーン・エイジの欲望とかたち』フィルムアート社、二〇〇〇年、二一六〜二二〇頁

4

1 トマス・リッド『サイバネティクス全史——人類は思考するマシンに何を夢見たのか』松浦俊輔訳、作品社、二〇一七年、二〇〇頁

2 カート・ヴォネガット・ジュニア『プレイヤー・ピアノ』浅倉久志訳、ハヤカワ文庫ＳＦ、一九七五年、三四五頁

3 https://www.newtonit.com/ja/columns/4229/

4 前掲書 From Counterculture to Cyberculture、Kindleの位置 No.2437-2440

5 エディトリアルデパートメント編『スペクテイター〈50号〉まんがで学ぶメディアの歴史』幻冬舎、二〇二二年、八〇〜八二頁

6 ジョン・マルコフ『パソコン創世「第3の神話」——カウンターカルチャーが育んだ夢』服部桂訳、ＮＴＴ出版、二〇〇七年、九七頁

7 前掲書『サイバネティクス全史』、二六七頁

8 同右、二一八頁

9 前掲書『バーチャル・リアリティ』、四三九頁

10 前掲書『サイバネティクス全史』、二三一頁

11 https://boingboing.net/2012/11/12/high-frontiers-1984-proto-cyb.html

12 前掲書『サイバネティクス全史』、二三一頁

13 同右、二三二頁

14 前掲書 From Counterculture to Cyberculture、Kindleの位置 No.2450-2459

15 前掲書『ニューロマンサー』、七頁

16 マーク・デリー『エスケープ・ヴェロシティ——世紀末のサイバーカルチャー』松藤留美子訳、角川書店、一九九七年、二九四頁

17 バーチャル美少女ねむ『メタバース進化論——仮想現実の荒野に芽吹く「解放」と「創造」の新世界』技術評論社、二〇二二年、Kindle版、

pp.447-448

18 加藤直人『メタバース さよならアトムの時代』集英社、二〇二二年、二六八〜二六九頁

19 同右、二六九頁

20 前掲書『メタバース進化論』、Kindle版、p.281

21 水地宗明・山口義久・堀江聡編『新プラトン主義を学ぶ人のために』世界思想社、二〇一四年、九四頁

22 同右、四頁

23 同右、三六六頁

24 筒井賢治『グノーシス――古代キリスト教の〈異端思想〉』講談社選書メチエ、二〇〇四年、二二頁、一九四頁

25 前掲書『メタバース さよならアトムの時代』、五六頁

26 滝浪佑紀「訳者付記」、N・キャサリン・ヘイルズ「ヴァーチャルな身体と明滅するシニフィアン」滝浪佑紀訳、『表象02』月曜社、二〇〇八年、一一一頁

27 冨島佑允『この世界は誰が創造したのか――シミュレーション仮説入門』河出書房新社、二〇一九年、三九〜四一頁

28 東浩紀『ゲンロン0 観光客の哲学』ゲンロン、二〇一七年、二二九頁

29 同右、二四二頁

30 https://xrcloud.jp/blog/articles/business/1883/

31 近藤銀河「物質となるメタバースと、その不自由――メタバース内外を行き来する身体と空間から考えるジェンダーと政治」、『現代思想 2022年9月号』青土社、二〇二二年、四九頁

5

1 J・G・バラード『クラッシュ』柳下毅一郎訳、創元SF文庫、二〇〇八年、二〇一頁

2 D・H・ロレンス『黙示録論』福田恆存訳、ちくま学芸文庫、二〇〇四年、二一四頁

3 文庫版特別収録　殊能将之自作インタビュー「編者に聞く」、アヴラム・デイヴィッドスン『どんがらがん』浅倉久志・他訳、河出文庫、二〇一四年、四七三頁

4 フィリップ・K・ディック『パーマー・エルドリッチの三つの聖痕』浅倉久志訳、ハヤカワ文庫SF、一九八四年、六三頁

5 同右、六九～七〇頁

6 同右、一四七頁

7 同右、二四八頁

8 同右、三〇三頁

9 前掲書 Dawn of the New Everything、p.151

10 同右、pp.61-62

11 Skinner, B. F. Walden Two. Hackett Publishing Company, Inc.、Kindle版、p.279

12 前掲書『メタバース進化論』、Kindle版、pp.19-20

13 前掲書『エスケープ・ヴェロシティ』、四二頁

14 https://en.wikipedia.org/wiki/Prometheus_Award

15 前掲書 From Counterculture to Cyberculture、Kindleの位置 No.3867-3875

16 https://www.nikkei.com/article/DGXZQOUC013ZG0R00C22A7000000/

17 前掲書 From Counterculture to Cyberculture、Kindleの位置 No.3880-3885

18 ミシェル・フーコー『ユートピア的身体／ヘテロトピア』佐藤嘉幸訳、水声社、二〇一三年、一六頁

19 同右、一六頁

20 同右、二〇頁

21 同右、二一頁

22 同右、二三頁

23 同右、二八頁

終章

1 アーシュラ・K・ル・グィン「オメラスから歩み去る人々」浅倉久志訳、『風の十二方位』小尾芙佐・他訳、ハヤカワ文庫SF、一九八〇年、四七四～四七五頁

2 ザミャーチン『われら』松下隆志訳、光文社古典新訳文庫、二〇一九年、二九四頁

3 スーザン・バック＝モース『夢の世界とカタストロフィ——東西における大衆ユートピアの消滅』堀江則雄訳、岩波書店、二〇〇八年、九一頁

4 同右、九六頁

5 同右、五五頁

6 同右、五七頁

7 石丸敦子「文化的できごととしてのソ連解体——スーザン・バック＝モース『夢のカタストロフィ』を読む」東京外国語大学海外事情研究所、二〇一四年、http://repository.tufs.ac.jp/handle/10108/81580

8 ウィリアム・ギブスン「ガーンズバック連続体」黒丸尚訳、『クローム襲撃』浅倉久志・他訳、ハヤカワ文庫SF、一九八七年、六五頁

9 同右、六六～六七頁

10 同右、七五頁

11 http://monumenttotransformation.org/atlas-of-transformation/html/n/nostalgia/nostalgia-svetlana-boym.html

12 Boym, Svetlana. The Future of Nostalgia. Basic Books、Kindle版、pp.49-50

13 同右、pp. xvi-xvii.

14 池田浩士「遺産・空洞・占拠——解説にかえて」、エルンスト・ブロッホ『この時代の遺産』池田浩士訳、水声社、二〇〇八年、六六五頁

本書は『ＳＦマガジン』二〇二一年二月号から二〇二三年二月号にかけて連載された「さようなら、世界――〈外部〉への遁走論」を加筆修正し、まとめたものです。

著者略歴

１９８８年生まれ。文筆家。思想、ポップカルチャー、アングラカルチャーの諸相を領域横断的に分析、執筆する。著書に『ダークウェブ・アンダーグラウンド』、『ニック・ランドと新反動主義』、『失われた未来を求めて』、共著に『闇の自己啓発』（早川書房）、『異常論文』（ハヤカワ文庫ＪＡ）がある。

ハヤカワ新書　014

闇《やみ》の精神史《せいしんし》

二〇二三年十月二十　日　初版印刷
二〇二三年十月二十五日　初版発行

著　者　木《き》澤《ざわ》佐《さ》登《と》志《し》
発行者　早川　浩
印刷所　中央精版印刷株式会社
製本所　中央精版印刷株式会社
発行所　株式会社　早川書房

東京都千代田区神田多町二ノ二
電話　〇三‐三二五二‐三一一一
振替　〇〇一六〇‐三‐四七七九九
https://www.hayakawa-online.co.jp

ISBN978-4-15-340014-6 C0230

Printed and bound in Japan

定価はカバーに表示してあります

乱丁・落丁本は小社制作部宛お送り下さい。
送料小社負担にてお取りかえいたします。

未知への扉をひらく

「ハヤカワ新書」創刊のことば

誰しも、多かれ少なかれ好奇心と疑心を持っている。

そして、その先に在る納得が行く答えを見つけようとするのも人間の常である。それには書物を繙いて確かめるのが堅実といえよう。インターネットが普及して久しいが、紙に印字された言葉の持つ深遠さは私たちの頭脳を活性して、かつ気持ちに余裕を持たせてくれる。

「ハヤカワ新書」は、切れ味鋭い執筆者が政治、経済、教育、医学、芸術、歴史をはじめとする各分野の森羅万象を的確に捉え、生きた知識をより豊かにする読み物である。

早川浩

ソース焼きそばの謎

塩崎省吾

お祭りで食べる
「あの味」の意外な起源

なぜ醤油ではなくソースだったのか？　発祥はいつどこで？　謎を解くカギは「関税自主権」と「東武鉄道」にあった！　全国１０００軒以上の焼きそばを食べ歩いてきた男が、多数の史料・証言と無限の焼きそば愛でソース焼きそばのルーツに迫る圧巻の歴史ミステリ

ハヤカワ新書
006

ChatGPTの頭の中

スティーヴン・ウルフラム

稲葉通将監訳
高橋　聡訳

サム・アルトマン（OpenAI CEO）絶賛！
「最高の解説書」

人工知能チャットボット「ChatGPT」の知られざる仕組みと基礎技術について、自らも質問応答システムの開発に携わる理論物理学者が詳細に解説。今も進化し続ける生成AIの可能性と限界、そしてChatGPTの内部で解明が進められている「言語の法則」とは？

ハヤカワ新書
009

2020年代の想像力
——文化時評アーカイブス2021-23

宇野常寛

いま、この時代に、
虚構が持つ力のすべてを説き明かす

表現の内実よりも作品を語る行為の側に人々が快楽を覚える現代において「虚構」の価値はどこにあるのか?『シン・エヴァンゲリオン劇場版𝄇』『すずめの戸締まり』『怪物』などへの批評を通じて強大な「現実」に抗うための想像力を提示する最新文化時評三〇篇

ハヤカワ新書
011

見えないから、気づく

浅川智恵子／（聞き手）坂元志歩

全盲の研究者はどのように世界をとらえ、変えてきたのか？

14歳のとき失明。ハンディキャップを越え、世界初の「ホームページ・リーダー」などアクセシビリティ技術を生み、日本女性初の全米発明家殿堂入り。現在は日本科学未来館館長とＩＢＭフェロー（最高位の技術職）を務める研究者が明かす自身の半生と発想の源泉

ハヤカワ新書
013